Sein und Schein   A COLLECTION OF TEN GERMAN STORIES

sein

und schein

A COLLECTION OF TEN GERMAN STORIES

Edited by
WAYNE WONDERLEY
Western Michigan University

Harcourt, Brace & World, Inc.   New York · Chicago · Burlingame

Library of Congress Catalog Card Number: 66–15616

Printed in the United States of America

ACKNOWLEDGMENTS

"Der Mixer," by Alfred Wolfenstein, from his *Die gefährlichen Engel*, Leipzig, Verlag Julius Kittls
   Nachfolger, 1936. Reprinted by permission of Mrs. Henriette Hardenberg-Frankenschwerth.
"Dame am Steuer," by Gertrud Fussenegger, from *Prosa 62/63*, edited by Walter Kahnert, Berlin,
   F. A. Herbig Verlagsbuchhandlung, 1962. Reprinted by permission of the author.
"Die Dame, die die Rosen aß," by Annemarie Weber, from *Prosa 60*, edited by Walter Kahnert,
   Berlin, F. A. Herbig Verlagsbuchhandlung, 1960. Reprinted by permission of the author.
"Am Tag danach," by Heinz Piontek, from *Prosa 60*, edited by Walter Kahnert, Berlin, F. A. Herbig
   Verlagsbuchhandlung, 1960. Reprinted by permission of the author.
"Der Delphin," by Ernst Penzoldt, from his *Süße Bitternis*, Frankfurt am Main, Suhrkamp Verlag,
   1954. Reprinted by permission of the publisher.
"Der Weltraumflieger ist startklar," by Hermann Stahl, from *Prosa 60*, edited by Walter Kahnert,
   Berlin, F. A. Herbig Verlagsbuchhandlung, 1960. Reprinted by permission of the author.
"Der Augenblick," by Werner Bergengruen, from his *Der letzte Rittmeister*, Zürich, Verlag der
   Arche, 1952. Reprinted by permission of the publisher.
"Das Bergfest der Schiffbrüchigen," by Ursula Risse-von Lewinski, from *Prosa 60*, edited by Walter
   Kahnert, Berlin, F. A. Herbig Verlagsbuchhandlung, 1960. Reprinted by permission of the author.
"Die Turnstunde," by Rainer Maria Rilke, from his *Sämtliche Werke*, Vol. IV, Frankfurt am Main,
   Insel-Verlag, 1956. Reprinted by permission of the publisher.
"Das Manöver," by Wolfdietrich Schnurre, from his *Eine Rechnung, die nicht aufgeht*, Olten, Walter-
   Verlag, 1958. Reprinted by permission of the publisher.

PREFACE

The stories in this volume were chosen in the hope that they would offer intermediate learners of German a stimulating collection of worthwhile literary prose of the twentieth century. The study aids—questions and exercises—that accompany them are intended primarily as suggestions; they may be expanded or otherwise modified by the instructor to suit his particular teaching situation. No attempt has been made to minimize the vital role of the teacher.

For assistance in devising the exercises I am indebted to my colleague Clifford A. Barraclough.

W. W.

CONTENTS

INTRODUCTION

Any worthwhile literature seeks to come to grips with fundamental human behavior—with the good and the bad in man, his hopes and hindrances, his visions and his vices. This collection presents some representative contemporary approaches to man's problems in German short stories and novellas; the twentieth century has witnessed a significant increase in both the quantity and the quality of these two genres in Germany.

Because both older and younger authors, writing before and after the Second World War, are included in this book, it is not surprising to find that different points of view are expressed. However, all the authors give to the human situations they create the coloration of German culture as it has developed over the centuries. Such a treatment not only provides a unifying theme for the collection itself; it also makes it possible to place each selection in the stream of German literature and to identify the influences of that literature. The characters in the stories face physical or emotional conflicts or problems of ethical conduct leading to psychic searching—problems which all men must try to resolve. Broadly, all the selections included here are about individual tension and decision. Maybe this is an oversimplification. In any event, the authors depict here reactions to militarism, two world wars, inflation, depression, dictatorship, military defeat, economic recovery, and nuclear psychosis which all contribute in some way to an understanding of the contemporary individual's seeming isolation in the world and of the tenuous boundary between reality and illusion—the *Sein und Schein* of the book's title.

The author of "Der Mixer," Alfred Wolfenstein, was a lyricist, dramatist, and essayist. This story, probably a reflection of the period of depression and unemployment in Germany following the First World War, displays his talents as a master of concentration. Here is a taut sketch whose linguistic economy is crowned by a surprise ending reminiscent of O. Henry or Guy de Maupassant. Born in 1888 in Halle an der Saale, Wolfenstein studied law, lived in Berlin, and later, during the Nazi period, emigrated to France, where he died in 1945.

Gertrud Fussenegger evidences comparable skill in the genre of the short story. Born in 1912 in Pilsen, she studied history, the history of art, and philosophy. In addition to narrative prose she writes essays, dramas, and radio plays, a popular German literary form. She has resided in Munich and Linz, and now lives at Leonding, near Linz. Her story "Dame am Steuer" is almost abstract in its execution. Its emotional intensity is heightened by the predominance of short sentences and the frequent occurrence of impressionistically interpolated interjections ("Schneller! Schneller!" "Kreuzung, Kurve, Gefälle"), which depict Barbara's mental and emotional state. Concerned not only with marital and personal problems, Barbara is also faced with the broader philosophical problem of distinguishing between appearance and reality.

Still another psychologically keen view into a woman's thoughts and emotions is offered in Annemarie Weber's "Die Dame, die die Rosen aß." The author was born in 1918 in what is now West Berlin, where she lives today. Bookseller, linguist, translator, and editor, she captures the reader's attention with her challenging title. Using a somewhat leisurely, prosaic style, she counterbalances the humor of a simple joke with a penetrating and pathetic delineation of Frau Küfer's tortured, bourgeois soul.

Heinz Piontek was born in 1925 in Kreuzburg, in Upper Silesia. He studied Germanic languages and literatures and served in the Second World War, during which he was imprisoned by American forces. This latter fact may be responsible for certain American references in his "Am Tag danach." With its crime, violence, and sex, his story is almost as brief and pungent as a television drama. Piontek has keen insight into the problems of young people and their postwar tensions. The vivid, accurate rendering of casual, even racy German suggests the acuity of his ear. He has written poems, essays, and stories and has received several literary prizes. Today he lives in Dillingen on the Danube.

The question of *Sein* versus *Schein* recurs in Ernst Penzoldt's "Der Delphin," an intriguing blend of the classic and the modern, of mythology and technology, of fantasy and fact. Penzoldt was born in Erlangen in 1892 and studied there and at Weimar and Kassel, part of that time at the Kunstakademie. He served in both world wars and died in 1954. He was a sculptor and painter as well as a lyricist and dramatist, a fact to which much of the linguistic construction of his novella testifies.

Hermann Stahl was born in 1908 in Dillenburg and studied painting and stage decoration. A member of the Darmstadt Deutsche Akademie für Sprache und Dichtung, he now lives at Ammersee near Munich. Nuances of his callings as artist, storyteller, lyricist, radio dramatist, and literary reviewer appear in "Der Weltraumflieger ist startklar." With a technological backdrop of count-downs, lift-offs, and space vehicles, this story is a subtle but effective literary diatribe against communism. A contrast between the free and the unfree worlds' estimates of the importance of human dignity, particularly in the area of space probes, is clearly implied.

Werner Bergengruen's "Der Augenblick" focuses upon a crucial moment in the midst of everyday, routine activity during the Napoleonic era. Bergengruen was born in 1892 in Riga and later moved to Baden-Baden, where he lived until his death in 1964. He studied in Marburg, Munich, and Berlin and served in the Second World War. Lyric poetry, novels, novellas, stories, and translations compose his literary production. This story concentrates upon the human element in command decisions.

In "Das Bergfest der Schiffbrüchigen" Ursula Risse–von Lewinski poses a number of tantalizing questions. Born in 1926 in Bochum and reared in Solingen, she pursued English and Romance studies and the history of art in Munich, Münster, and Freiburg. She is a translator, editor, essayist, and writer of fiction. The solemn, straightforward, expository passages are leavened with lively dialogue. The story may be accepted as factual prose; however, it is also open to other interpretations. If it is symbolic, what do the various symbols connote? Notice, for instance, the names. Kafkaesque in technique, the tale may suggest the grace of God and the frustrating tribulations besetting man in his striving toward Heaven.

Rainer Maria Rilke was born in 1875 in Prague and died in 1926 in Territet, Switzerland. After attending several military schools, he studied law and philosophy in Prague, Munich, and Berlin. Rilke traveled widely in Europe, including Russia. For a while he was the private secretary of the sculptor Auguste Rodin in Paris, then he became a soldier in the First World War, and later he moved to Munich. Many consider him one of the leading poets of the twentieth century. On a superficial level, "Die Turnstunde" may be taken as a protest against the military martinet, but Rilke also displays his deep understanding of the basic factors which cause men to arrive at decisions and to act.

Wolfdietrich Schnurre, author of "Das Manöver," was born in 1920 in Frankfurt am Main and was educated in Berlin. He served in the Second World War and now lives in West Berlin. Schnurre writes stories, poems, radio plays, and essays. It is possible to accept "Das Manöver" factually, as it was "Das Bergfest der Schiffbrüchigen," but the discerning reader will perceive a sharp satire of militarism. The text contains much military terminology, which Schnurre handles professionally. Notice also the counterbalancing of idyllic nature, portrayed primarily by the wild fowl which open and close the story, with the harsh disruption caused by man—the approaching and then withdrawing column of military vehicles.

ALFRED WOLFENSTEIN   DER 𝔐IXER

SÄTZE ZUM VORSTUDIUM

1

In seinem schönen Schwung unterstützte ihn das verstärkte Grammophon, das hinter den kleinen, mit Lachs, Sardinen, Wurst und Käse sich drehenden Karussells erklang.

His graceful movement was supported by the amplified phonograph, which was playing behind the little carousels turning (covered) with salmon, sardines, sausage, and cheese.

2

Er war so angenehm und einfach wie der ganze in Weiß gehaltene Automat.

He was as pleasant and simple as the whole white automat itself.

3

Als ihn nun das Mädchen so lange und so eindringlich ansah, daß er fürchtete, ihr Blick würde bis zur Schlußstunde dauern und dann müßte er sie begleiten und dann könnte sie ihn verführen–: verlor er den Kopf.

Because the girl was now looking at him so long and penetratingly that he was afraid her gaze would last until closing time, and that then he would have to escort her, and that then she might seduce him—he lost his head.

4

So verschwand er aus ihrem unberechenbar lang dauernden, vielleicht ewigen Blick in die Nacht hinaus, während hinter den belegten Broten die schwermütige Schallplatte *Garden in the Rain* erklang.

So he disappeared into the night away from her incalculably long, perhaps eternal gaze, while behind the sandwiches the melancholy record gave forth "Garden in the Rain."

Daß ein Mixer ein sehr scheuer Mensch sein kann, bewies in einer Nacht George Phil Roberts. Er bediente die Bar eines Automatenrestaurants. Mit langen Armen nach allen Himmelsrichtungen herumreichend schüttelte er seinen großen blanken Mixbecher. Er mengte° die schönsten und buntesten Getränke für die fünfzehn Persönlichkeiten rings auf den Eiffelturmstühlen.° Viele andere sahen ihm noch zu, auch von der Straße durch die breite Scheibe, wo sich nur Wind und Regen mixte.

George Phil Roberts war ein kindlicher Mann, der beim Arbeiten unterhaltsam spielte.° Mit seinen Gläsern und farbigen Flaschen, mit Zitronen und anderen Früchten, auch mit Zigaretten mußte er jonglieren° und tanzte zwischen den Kübeln° und musizierte auf der ganzen Bar und handhabe die Hebel° der Liköre, Fruchtsäfte und Sahnen,° als fahre er über ein Harmonium. In seinem schönen Schwung unterstützte ihn das verstärkte Grammophon, das hinter den kleinen, mit Lachs, Sardinen, Wurst und Käse sich drehenden Karussells erklang.

George Phil Roberts war so angenehm und einfach wie der ganze in Weiß gehaltene Automat. Gern kamen die Menschen noch spät hierher, in Smokings° oder mit Mützen, von den Bällen und Nachtschichten,° Junge, Alte, auch Einsame, die ihre Wohnungen schlaflos noch einmal verlassen, dazu allerhand Abschaum° aus den zeitiger schließenden Lokalen. Viele hübsche Mädchen waren dabei. Er bediente sie so gern wie alle anderen, und sie behandelten ihn als Amtsperson.°

Nur eine, die mit ihnen nicht bekannt war, saß Nacht für Nacht, plötzlich aufgetaucht,° dicht vor ihm. Sie ließ sich von ihm am liebsten, weil er es irgendwann empfohlen hatte, die Nummer 29 der Großen Liste

mixed

bar stools

beim ... played while he worked
juggle
ice buckets
handhabe ... handled the taps
creams

dinner jackets
night shifts

dregs

official

emerged

7

mixen. Das war ein Ahornblütenmilchpunsch,* kürzer
Maple genannt, bestehend aus Trockenmilch, Frucht-
saft, Speiseeis, Soda, gequirlt° mit Malz, ohne Alkohol.   stirred
Sie sah ihm zu, aber in Wahrheit sah sie ihn immer an.
Sie sog an ihren Strohhalmen und sah ihn von Nacht
zu Nacht länger an. Ihr Gesicht war ein kantiges° Oval,   squared
sie trug schwarze Steingehänge in den Ohren, ihre
Augen waren auch schwarz und hart. Es kam dahin,
daß sie ihn bis zu einer Stunde lang ansah. Er geriet in
die höchste Verwirrung.° Er schüttelte seinen Becher   **geriet** ... became completely
nicht mehr wie ein Sturm eine Eiche, nur noch wie   confused
ein Wind eine Birke. Er jonglierte mit weniger
Sachen, und manches fiel hin.°   **manches** ... several things
dropped
    Der Geschäftsführer (dessen Korpulenz übrigens°   incidentally
diesen Posten zwischen den lichten Linien des modernen
Automaten in keiner Weise verdiente°) verwarnte   **in** ... owed nothing to
den Mixer.   Als ihn nun das Mädchen um die nächste
Mitternacht so lange und so eindringlich ansah, daß
er fürchtete, ihr Blick würde bis zur Schlußstunde
dauern und dann müßte er sie begleiten und dann
könnte sie ihn verführen —: verlor er den Kopf. Das
Grammophon machte gerade, zusammen mit dem
vorbeistampfenden Autobus als Schlagzeug,° eine   rhythm section
betäubende Jazzmusik —: da verließ George Phil
Roberts lautlos seinen Posten. Er hatte diese Arbeit
so sehr geliebt und er enttäuschte auch ungern° die   **enttäuschte** ... didn't want
sehnsüchtige Liebe der Frau, aber er erkannte —:   to disappoint
beides war für ihn nicht zu mixen.
    So verschwand er aus ihrem unberechenbar lang
dauernden, vielleicht ewigen Blick in die Nacht hinaus,
während hinter den belegten Broten die schwermütige
Schallplatte *Garden in the Rain* erklang. Der Geschäftsführer, bald alarmiert, stürzte herbei, in Verzweiflung,
denn der Andrang° war um diese Zeit groß. Aber   crowd
siehe, der Platz war besetzt. Kühl lächelnd und ohne
Zeichen der Sehnsucht stand das Mädchen mit
klappernden Ohrgehängen hinter dem Bartisch. Sie
schüttelte den Becher und handhabte die Hebel und
goß und jonglierte die bunten Gläser den Gästen in
die Hände. Und zwischen ihrer flotten Arbeit reichte
sie dem Chef ein sachliches Blatt,° ein Zeugnis° hin.   **sachliches** ... pertinent
document;   certificate

---

* A drink something like a maple shake.

Und sie schaltete° in der Festung der Bar wie in einer   held sway
zielbewußt eroberten Stellung —: als gelernte Mixerin
— indessen ein Mixer ihre unglückliche Liebe be-
dauernd stellungslos durch die Straßen strich.

FRAGEN

1   Was bewies Herr Roberts?
2   Was bediente er?
3   Was mengte er?
4   Welche Wetterelemente mixten sich auch?
5   Was für ein Mann war dieser Mixer?
6   Was unterstützte ihn in seinem schönen Schwung?
7   Was für Menschen kamen hierher?
8   Wer trug schwarze Steingehänge in den Ohren?
9   Wen sah sie lange an?
10   Wer verwarnte den Mixer?
11   Was verließ Herr Roberts lautlos?
12   Welche zwei Elemente waren für ihn (Herrn Roberts) nicht zu mixen?
13   Warum war der Geschäftsführer in Verzweiflung?
14   Wer hatte den Platz besetzt?
15   Was bedauerte der Mixer?
16   Wohin strich er?
17   Was für ein sachliches Blatt reichte die Mixerin dem Chef hin?

MÜNDLICH-SCHRIFTLICHE ÜBUNGEN

1   Verbinden Sie die Sätze, indem Sie mit „daß" anfangen!
    BEISPIEL: Ein Mixer kann ein scheuer Mensch sein. Herr Roberts bewies
    das. / Daß ein Mixer ein scheuer Mensch sein kann, das bewies Herr
    Roberts.

   a   Er war ein kindlicher Mann. Seine Arbeit zeigte das.
   b   Viele Leute kommen in die Bar. Der große Andrang zeigt das.
   c   Das Mädchen war schön. Ihre Augen bewiesen das.

2   Konjunktiv. Fangen Sie mit „als" an!
    BEISPIEL: Er musizierte auf der Bar. Er fuhr über ein Harmonium. / Er
    musizierte auf der Bar, als fahre er über ein Harmonium.

   a   Sie mengte die Getränke. Sie bediente eine Bar.
   b   Er sah sie an. Er kannte sie nicht.
   c   Herr Roberts verließ den Posten. Er verlor den Kopf.

3 Fangen Sie mit „beim" an!
   BEISPIEL: Er spielt, während er arbeitet. / Beim Arbeiten spielt er.

   a Er liest, während er denkt.
   b Sie tanzen, während sie jonglieren.
   c Ich musiziere, während ich sitze.

4 Fangen Sie mit dem Partizip Präsens an!
   BEISPIEL: Das Mädchen stand hinter dem Bartisch und lächelte. / Lächelnd
   stand das Mädchen hinter dem Bartisch.

   a Der Geschäftsführer sitzt und lacht.
   b Er mixt und singt.
   c Sie schüttelt den Becher und jongliert.

5 Ersetzen Sie das Substantiv durch ein Adjektiv!
   BEISPIEL: Er geriet in Verwirrung. / Er wurde verwirrt.

   a Er geriet in Zorn.
   b Es geriet in Gefahr.
   c Sie geriet in Angst.

6 Vollenden Sie den Satz mit einem Adjektiv mit **-los** oder **-frei**!
   BEISPIEL: Er hatte keine Stellung. / Er war stellungslos.

   a Wir haben keine Hilfe. (wir sind)
   b Diese Arbeit zeigt keine Fehler. (Sie ist)
   c Das Eisen zeigt keinen Rost. (es ist)

7 Setzen Sie den Satz in das Plusquamperfektum!
   BEISPIEL: Er verschwand in die Nacht hinaus. / Er war in die Nacht hinaus
   verschwunden.

   a Der Geschäftsführer stürzte bald herbei.
   b Sie sah ihn immer an.
   c Er sah ihr neugierig zu.
   d Der Mixer bewies das.
   e Er bediente die Bar.
   f Das Grammophon unterstützte ihn.
   g Wir begegneten ihr.

8 Lesen Sie den Satz nach dem Muster um!
   BEISPIEL: Das Grammophon erklang hinter dem Karussell, das sich drehte. /
   Das Grammophon erklang hinter dem sich drehenden Karussell.

   a Sie hatte einen Blick, der vielleicht ewig dauerte.
   b Roberts war der Mixer, der die Bar bediente.
   c Er hatte Arme, die nach allen Richtungen herumreichten.
   d Der Geschäftsführer sah die Gäste, die auf den Stühlen saßen.

9 Fangen Sie mit dem Nebensatz an!

    BEISPIEL: Er verlor den Kopf, als ihn das Mädchen so eindringlich ansah. / Als ihn das Mädchen so eindringlich ansah, verlor er den Kopf.

a Er mußte sie begleiten, als ihr Blick so lange dauerte.

b Wir verschwanden in die Nacht hinaus, während die Schallplatte schwermütig erklang.

c Sie bedient mich so gern, während ich sie als Amtsperson behandele.

d Sie sahen uns zu, weil sie nichts anders konnten.

GERTRUD FUSSENEGGER   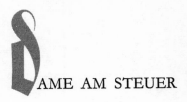AME AM STEUER

SÄTZE ZUM VORSTUDIUM

1

Das Geschoß hat dich getroffen, eine Wunde deiner eisigen Haut geschlagen, deiner narbigen Kraterhaut.

The missile has hit you, struck a wound in your icy skin, your scarred, craterous skin.

2

Nie verstehst du mich, Fedja; am wenigsten, wenn ich abends wegfahre ohne Ziel und Zweck, fahre wie jetzt, nur um den Wagen zu steuern, um nicht mit dir im Zimmer zu sitzen, wo die Uhr tickt, wo sich die Schale mit Asche füllt, wo dein Schweigen die Wände anschweigt, daß sie näher rücken, immer näher, bis mir ist, als würden sie mich erdrücken.

You never understand me, Fedja; least of all when I drive away in the evening without a goal or purpose, drive as I'm driving now, just to steer the car, in order not to sit in the room with you where the clock ticks, where your ash tray fills with ashes, where your silence hits the walls so that they move in closer and closer, until I feel as if they would crush me to pieces.

3

An Ausreden fehlt es mir nicht, wenn du sie mir auch nicht mehr glaubst, diese armseligen Lügen.

I never lack excuses, even though you don't believe my miserable lies any more.

4

Soll keiner glauben, er fahre schneller als ich, soll keiner glauben: nur eine Dame am Steuer!

Nobody is to think that he can drive faster than I can; nobody is to think: only a woman at the wheel!

5

Er fährt schneller, unüberholbar, wie ich mich auch beeile.

He's driving faster; no matter how I hurry I can't pass him.

E s ist ja nicht wahr, was Fedja immer sagt, ich habe den Teufel im Leib, sobald ich am Volant° sitze. *steering wheel* Zugegeben, ich fahre rasch, rasch, aber sauber. Kann man denn sauber fahren, wenn man rasch fährt?

Der Abend — aufgeklärt nach Regen. Im Westen, fern, der blaßgelbe Schein, der Himmel reingefegt und kalt wie aus Jade. Die Stadt sinkt unter der Rampe weg. Wie kühn die Straße steigt, Kurve um Kurve. Da unten in dem Lichtgesprenkel° blinkt auch Fedjas *cluster of lights* Haus und das meine. Er sitzt daheim und liest, liest und denkt nach und schweigt, die Uhr tickt, ihre Zeiger kriechen, von Zeit zu Zeit stäubt Fedja seine Zigarette ab und die Asche häuft sich° in der Schale. **häuft ... grows**

Da — im Rückspiegel, was ist das? großer breitge-drückter bronzebrauner Ball — ah, der Mond! geht dort im Osten auf, schweres glosendes° Licht, Mond **=glühendes** im September. Man nennt ihn Jägermond, wohl weil September die Zeit der Jäger ist, Halali° über Heide *tallyho (hunting call)* und Felder, die Büchse knallt und das Wild birgt sich zitternd im Busch.

Was willst du, altes Gestirn,° dein Schein ist nichtig, **=Stern** nichtig geworden in unseren Nächten, die hell sind von anderen und so viel stärkeren Lichtern. Bist nicht mehr fern wie einst, unerreichbar, alter Mond der Liebenden, Freund der seufzenden Dichter. Das Ge-schoß hat dich getroffen, eine Wunde deiner eisigen Haut geschlagen, deiner narbigen Kraterhaut. Erst gestern hab° ich mit Fedja darüber geredet, und **=habe** Fedja sagte: Wozu das alles? Ich verstehe die Menschen nicht. — Und ich darauf: Fedja, verstehst du denn auch nur mich?° — Da machte er die Augen schmal° und **verstehst ... Do you even understand just me?; narrow** schaute mich lange an und sagte endlich: Nicht immer, Barbara, verstehe ich dich.

Nicht immer? Nie verstehst du mich, Fedja; am wenigsten, wenn ich abends wegfahre ohne Ziel und

Zweck, fahre wie jetzt, nur um den Wagen zu steuern, um nicht mit dir im Zimmer zu sitzen, wo die Uhr tickt, wo sich die Schale mit Asche füllt, wo dein Schweigen die Wände anschweigt, daß sie näher rücken, immer näher, bis mir ist, als würden sie mich erdrücken.

Da muß ich fahren, Fedja. An Ausreden fehlt es mir nicht, wenn du sie mir auch nicht mehr glaubst, diese armseligen Lügen. Auch heute belog ich dich: Ich wollte Ruth besuchen, meine Schwester, die krank ist. Ja, krank ist sie; trotzdem besuch° ich sie nicht, und du weißt es, weißt, daß ich Ruth nicht mag, daß ich im Grunde niemand mag, nicht einmal° — dich.

Ah, Ortschaft!° Aufgepaßt!° Hier wird die Straße eng, verdammt! wie ich die Engen doch hasse, vollgestopft mit Radfahrern, Fußgängern, Kindern und Hunden. Finster und ungeschlacht° biegt ein Fuhrwerk ums Eck, Ackergäule,° ein Fuder° Heu — sollte verboten sein auf einer Straße wie dieser!

Mein guter Wagen, hab Geduld, mein guter schöner Wagen, nur Geduld, gleich sind wir draußen, gleich bist du wieder frei. Da — endlich: *open drive.* Häuser und Menschen bleiben zurück, die Straße stürzt uns entgegen und der Wind, der süße sausende Ton, der an den Scheiben zerblättert. Schneller! Schneller! Der weiße Streifen rennt uns voraus, die roten Zwinkeraugen° an den Randsteinkappen,° schneller, schneller fliegen Signale vorbei: Kreuzung, Kurve, Gefälle.° Immer rufen die Tafeln: Gefahr! Gefahr! Wer möchte denn fahren ohne Gefährdung?

Was uns entgegenkommt: weggezischt wie ein spukhaftes Bild. Was vorne ist: eingeholt, überholt, ausgelöscht ins Irgendwo-hinter-uns. (Soll keiner glauben, er fahre schneller als ich, soll keiner glauben: nur eine Dame am Steuer!) Wärest du jetzt neben mir, Fedja, du fingest zu wettern° an: Bist du verrückt? — Über Hundert!° — Aber du bist nicht da, sitzest daheim in der Stube, blätterst in deinen Büchern, spinnst an Erinnerungen oder an Plänen für später. Plan und Erinnerung, ein und dasselbe Netz, das uns das Leben einfangen soll, Leben, wie du es meinst. Immer und Einerlei.° Aber ich will es nicht, dieses gefangene Leben. Ich will das Jetzt und Hier, dieses

=besuche

even

Populated Area (highway sign); Watch Out

ungainly
farm horses; (wagon) load

reflectors; shoulder markers

grade

bluster
a hundred (kilometers an hour, about 60 mph)

Immer ... Always the same monotony

Hier, das schon Dort ist, *open drive* soweit der Scheinwerfer reicht, Halali auf der Straße, Jagd und Beute.° catch, booty
Was ist die Beute einer solchen Nacht?

Früher jagten die Jäger zu Pferd. Die Büchse
knallte: ein Knäuel° Pelz und zuckendes Fleisch, tangle
verglaste Augen, milchig und blicklos, nachher die
dampfende Mahlzeit, und das war alles. Heute jagt
man zu Wagen. Die Beute: Schein und Chimäre,
Ritt auf dem Rücken des Lichts, weißen Scheinwerfer-
kegels,° ins Rußschwarz° der Nacht geschleudert, headlight beam; soot
weißer Kahlschlag° des Lichts quer durch die Fin- sweeping clean
sternis. Fließband° der Landschaft, Wald und Fels wie conveyor belt
Kulissen, spülen heran und vorbei, Brücken, Mauern,
Geländer — irgendwo brüllt ein Gießbach, irgendwo
tobt ein Abgrund, aus phantomhafter Schlucht weht
eine Wasserfahne, farblos stiebender° Schaum. flying

Alle Dinge entwest° zu farblos stiebendem disintegrated
Schaum.

Ja, es ist wahr, was Fedja einmal mir sagte: Liebe
ist nicht in dir, nur die Gier nach dem Nichts.

Ja, es ist wahr, ist wahr. — Aber was ist dieses
Nichts?

Hat es nicht auch ein Gesicht? Unser eignes Gesicht? Nein. Es ist anders und fremd, unerreichbar
und schön.

Neulich — wie war das doch — auf einer Fahrt wie
dieser, oder träumte ich sie? Ja, ich träumte sie nur,
diese Fahrt ins Gebirge und, wie Träume schon sind:
alles war groß und phantastisch, riesig die Landschaft,
riesig die Nacht, und die Straße, immer hinauf, hinauf,
endlos, spiralig, schwindelnde Viadukte übereinander
getürmt. Vor mir ein blauer Wagen. Marke?° Mir make
unbekannt. Aus einem fremden Land wohl, Fremdling
auf meiner Straße, immer vor mir, schneller und
immer noch schneller, unüberholbar, wie ich mich
auch beeile.   Sollte er mir entfliehen? Nein, ich will
ihn erreichen. Angst, daß er mir entschwinde, Angst,
weil die Straße so schmal wird, immer engere Kreise
zieht sie auf immer engeren Kurven, und der Fremdling,
— kein Wagen — öffnet die silbernen Flügel, lächelt
aus blauem Visier ...

Da ist die Straße verschwunden — Bodenloses° bottomlessness
verschlingt mich.

Über den Straßenrand führt eine Reifenspur,° und   tire mark
ein junger Mann, der von der Arbeit heimfährt, spät
auf dem Rad,° hat sie entdeckt und gemeldet.   bicycle
    Am nächsten Morgen eine Notiz in der Zeitung: Der
tägliche Tod auf der Straße und so weiter.
Immer so weiter unter dem Jägermond.

FRAGEN

1   Wo sitzt die Erzählerin?
2   Wie fährt sie?
3   Wie ist der Abend?
4   Wie heißt ihr Mann?
5   Was tut er?
6   Wie ist der Mond?
7   Wie nennt man ihn?
8   Was hat ihn getroffen?
9   Was hat Fedja darüber gesagt?
10   Wie heißt Fedjas Frau?
11   Warum fährt sie abends weg?
12   Wen sollte Barbara besuchen?
13   Was rufen die Tafeln?
14   Was soll keiner glauben?
15   Wie schnell fährt Barbara?
16   Was will Barbara nicht?
17   Was für ein Leben möchte sie führen?
18   Wie jagten früher die Jäger?
19   Wie jagt man heute?
20   Was ist die heutige Beute?
21   Wen will Barbara überholen?
22   Wer ist wohl der Fremdling?

MÜNDLICH-SCHRIFTLICHE ÜBUNGEN

1   Verändern Sie im folgenden die Nebensätze in „um ... zu" Sätze, die den Zweck
    betonen! (Das Subjekt muß im Haupt- und Nebensatz das gleiche sein.)
    BEISPIEL: Ich fahre abends weg, weil ich nur den Wagen steuern will. / Ich
    fahre abends weg, um nur den Wagen zu steuern.

    a   Die Dame fährt gerne schnell, weil sie dem Einerlei des täglichen Lebens zu
      entfliehen wünscht.
    b   Weil sie den fremden Wagen überholen will, muß sich Barbara beeilen.

c Weil sie das Jetzt und Hier erleben möchte, kann sie unmöglich zu Hause bei ihrem Mann bleiben.

d Weil sie den Mond sehen will, blickt sie in den Rückspiegel.

e Die Frau behauptet, sie will ihre Schwester besuchen, weil sie eine Ausrede erfinden muß.

2. Wenn „auch" im Zusammenhang mit Fragewörtern benutzt wird, so entspricht es dem „no matter", „whoever", „whatever", etc. „Wenn auch" hingegen entspricht dem „even if". Bilden Sie die „no matter" -Sätze erst mündlich, schreiben Sie sodann den ganzen Satz in deutscher Sprache!

BEISPIEL: The foreign car couldn't be passed, *no matter how* she hurried. / Der fremde Wagen war unüberholbar, *wie* sie sich *auch* beeilte.

a Her car couldn't be passed, *even if* one wanted to.

b She drove faster and faster, *no matter how* boldly the street ascended.

c We will remain at the wheel, *no matter what* approaches us.

d *Whoever* drives too fast should remember this story.

e The woman could never be happy, *no matter where* she lived.

f Fedja would never have completely understood his wife, *even if* he had tried.

Musterübungen: Bilden Sie die folgenden Sätze in deutscher Sprache, indem Sie die Konstruktionen der Beispiele verwenden!

3 BEISPIEL: I'm not familiar with the make (The make is unfamiliar to me). / Die Marke ist mir unbekannt.

a We're not familiar with this make.

b She is unfamiliar with the street.

c They were unfamiliar with that city.

d She had been familiar with the make.

e If she had only been familiar with the make!

4 BEISPIEL: I'm not lacking (in) excuses. / An Ausreden fehlt es mir nicht.

a He's not lacking cigarettes.

b The streets are not lacking pedestrians.

c We're not lacking money.

d He is lacking love.

e She lacks fear.

5 BEISPIEL: The walls are moving closer and closer. / Die Wände rücken immer näher.

a The moon is shining brighter and brighter.

b The woman drives faster and faster.

c The street rises more and more boldly.

d He understands his wife less and less.

6 BEISPIEL: As soon as I sit at the wheel, I have to drive faster. / Sobald ich am
   Steuer sitze, muß ich schnell fahren.

   a   As soon as Fedja sits and smokes, the walls move closer and closer.
   b   As soon as he sees the tire mark, the young man reports it.
   c   As soon as she sees the foreign car, she tries to pass it.
   d   As soon as she sees the moon, she thinks of the hunters.

7 BEISPIEL: Is the foreign car to escape me? / Soll der fremde Wagen mir entfliehen?

   a   Is he to escape her?
   b   Is her fear to vanish?
   c   Are they to believe whatever they read?
   d   Was the car to escape her?

ANNEMARIE WEBER DIE DAME, DIE DIE ROSEN ASS

SÄTZE ZUM VORSTUDIUM

1

Herr Küfer hatte natürlich nicht das Geringste an sich, was ihn einem Mäuschen vergleichbar gemacht hätte.

Mr. Küfer, of course, didn't have the slightest thing in his manner that would have made him comparable to a little mouse.

2

Doch fiel ihm nicht ein, seine Frau darauf hinzuweisen.

Yet it didn't occur to him to call his wife's attention to this fact.

3

Herr Küfer hatte dabei jenen Ausdruck im Auge, mit dem pflegebedürftige alte Männer voll Haß ihrer derben Krankenschwester auf das blaue, weißbebänderte Hinterteil sehen.

At that time Mr. Küfer had the expression in his eye with which old men in need of care look hatefully at the blue, white-ribboned rear of their robust nurse.

4

Herr Küfer hatte, wenn er sich so fremd und selbständig betrug, ein sehr glattes Gesicht mit einem höflich in sich gekehrten Ausdruck.

Whenever Mr. Küfer acted so strangely and independently his face was smooth and had a polite, inward expression.

5

Man sah dann, wie er an seinem Glück hing, wie er sich selbst zugetan war, wie er sich liebte.

You could see then how he clung to his luck, how much he thought of himself, how much he loved himself.

6

Sie war nun in dem Alter, in dem man sich um dergleichen kümmert, ja, sich erregt, sich energisch zeigt und alles bereinigt.

She was now at the age when one worries about such things, indeed, when one gets excited about them, acts energetically, and cleans everything up.

7

Doch traute sie der Dringlichkeit dieser Erfordernisse nicht, zumal nicht an diesem Vormittag, an dem sie alle Türen aufmachte und wieder schloß, und an dem es war, als sei die Bürovorsteherin gar nicht da, wenn man nicht die Bürotür öffnete und sie sehen wollte, als rühre das Mädchen in der Küche keine Sauce, sondern stehe schlafend am Herdrand, solange niemand in die Küche blickte, als sei auch Herr Küfer am Frühstückstisch lediglich ein notwendiges Element in der Komposition eines Bildes und hebe die Kaffeetasse nur ihr zuliebe, wenn sie sich von seinem Vorhandensein zu überzeugen Lust hatte.

8

Frau Küfer hatte ihren kleinen, herzlichen Auftritt, mit den ausgestreckten beiden Armen, dem offenen Freundinnenblick, der von nichts mehr weiß, aber gern die Erinnerung im Auge des anderen sieht, sie entfaltete die Sanftmut, mit der man schließlich, weich fallenden, lockeren Haars, letzte Hand an den gedeckten Tisch legt, sich um den Gast bemüht, als bedaure man, nur dies wenige für das Glück seines Leibes tun zu können, hoffe indessen, durch das bloße Beisammensein mit ihm seiner Seele Frieden zu geben.

9

Sie hätte das auch nicht so sehr gern wahrgenommen.

But she didn't believe in the urgency of such exigencies, especially not this morning, a morning on which she opened all the doors and closed them again—a morning on which it seemed as if the supervisor wouldn't be there at all if one didn't open the office door and want to see her—as if the maid weren't stirring a sauce in the kitchen, but stood there sleeping by the stove, as long as nobody looked into the kitchen—as if Mr. Küfer at the breakfast table were merely a necessary element in the composition of a picture and only raised his coffee cup to please her when she felt the urge to convince herself of his existence.

Mrs. Küfer made her little cordial entrance with both arms stretched out with the open, friendly look of one who remembers nothing any more but is glad to see recollection in the other person's eye; she displayed the gentleness with which one finally, with softly falling, loose hair, puts the finishing touches to the dinner table and concerns oneself with one's guest, as if one regrets that one is able to do only this small amount for his physical well-being, hoping at the same time that merely being with him will give him peace of mind.

She wouldn't have liked very much to be aware of that.

$\mathcal{D}$ie Straße lag gelb in der Sonne, Frau Isabella Küfer kam vom Zahnarzt, ihre Behandlung war beendet, sie war nach allerlei Unannehmlichkeiten dem Leben wiedergegeben, dem Leben, einer Straße, die im gelben Vormittag dalag. Sie lächelte, im Bewußtsein, starke und tadellose Zähne zu zeigen, Jacketkronen in der oberen Reihe, teure und erstklassige Arbeit, weiße, starke Jugend glänzte unter ihrer Oberlippe, sie kaufte sich Veilchen, aß einen Becher Eis.

Beim Heimkommen fiel ihr auf, daß sie zu Herrn Eberhard Küfer, ihrem Mann, „guten Tag, mein Mäuschen" sagte, und daß sie diese pure Drolerie, mit der sie einst die Betulichkeit° alberner Paare hatte persiflieren wollen, nun offenbar seit längerem° in gedankenloser Regelmäßigkeit vorbrachte, oder vielmehr, was noch peinlicher war, beim Sprechen tatsächlich auch „guten Tag, mein Mäuschen" dachte. Herr Küfer hatte natürlich nicht das Geringste an sich, was ihn einem Mäuschen vergleichbar gemacht hätte, doch fiel ihm nicht ein, seine Frau darauf hinzuweisen. Aus ironischer Verliebttuerei° wurde leicht und oft wieder richtige Verliebtheit, das war das Hübsche bei Herrn und Frau Küfer, sie waren als Paar so geübt.

Dennoch klang an diesem Tage in Frau Isabella Küfers Ohr das „Mäuschen" auf fatale Weise noch lange nach. Es hatte, so merkte sie schließlich, Ähnlichkeit mit dem „Albertchen" ihrer Mutter, das seinerzeit ihren Vater ermahnte, sich warm genug anzuziehen, einen Wollschal anzulegen, wenn es kühl war. Tatsächlich war auch sie, Isabella Küfer, jetzt oft besorgt um die Gesundheit, um das Wohlbefinden Herrn Küfers, sie hielt Baldrian° für ihn bereit, wenn er Aufregungen hatte, und es war vorgekommen, erst kürzlich,° daß sie ihm mit den Worten „nicht so viel,

officiousness

seit ... for sometime

love games

valerian (a sedative)

erst ... only recently

mein Lieber" die Whiskyflasche weggenommen hatte.
Herr Küfer hatte dabei jenen Ausdruck im Auge, mit
dem pflegebedürftige alte Männer voll Haß ihrer
derben Krankenschwester auf das blaue, weißbebänderte Hinterteil sehen, und Frau Küfer hatte ihm schnell
und schweigend die Flasche wieder hingestellt.

Es gab also, immerhin, auch Widerstände° bei   oppositions
Herrn Küfer, nur daß noch nicht zu verstehen war,
wie ernst diese Widerstände genommen werden sollten.
Gelegentlich erlebte Frau Küfer Augenblicke, in
denen sie sich vorstellen konnte, daß Herr Küfer ein
gänzlich freier Mensch war, unabhängig von ihr und
dadurch unendlich fröhlich, und daß er dann sogar
die Härte besäße, ihr zu sagen, wie fröhlich ihn seine
Freiheit mache, und daß es ihm unverständlich sei,
weshalb sie, Isabella, nicht auch solche Heiterkeit aus
ihrer Freiheit gewänne. Herr Küfer zeigte manchmal
ein Gesicht, das zu solchen Vorstellungen paßte,
nämlich immer an den Abenden, an denen sie zu
zweit° Canasta spielten. Seine Geschäftigkeit, seine   zu ... two-handed
Chancen erhöht zu nutzen, sein Glück im Spiel, seine
hohen Gewinne machten ihn ihr so fremd, daß sie vor
Unfreundlichkeit gegen ihn bebte, und einmal hatte
sie ihm die Karten ins Gesicht geworfen. Herr Küfer
hatte, wenn er sich so fremd und selbständig betrug,
ein sehr glattes Gesicht mit einem höflich in sich
gekehrten Ausdruck; man sah dann, wie er an seinem
Glück hing, wie er sich selbst zugetan war, wie er
sich liebte.   Die mit den Jahren wachsende Eigenliebe
ihres Mannes irritierte Frau Küfer.

Obgleich sie im Augenblick keinen besonderen
Anlaß, darüber nachzudenken, hatte, ging sie doch,
voller Gedanken über ihren Mann, mit harten,
kleinen Schritten durch die Wohnung. Sie ging durch
die ganze Wohnung, sie sah überall hinein. Im Büro
saß die Bürovorsteherin und rauchte, das Zimmer
war blau, in der Küche stand das Mädchen, das nicht
kochen konnte, und rührte eine häßliche Mehlsauce°   white sauce
an, im Zimmer ihres Sohnes lag Staub und Verlassenheit, auf dem Tisch ein Paket, das ihm geschickt
werden sollte, im Eßzimmer hatte Herr Küfer sein
zweites Frühstück wieder aufgenommen, im Winter-
garten rankten die dunkelgrünen Pflanzen, die in allen

Wintergärten Mode waren. Überall waren die Tape-
ten,° neu und wertvoll, schlecht geklebt und erinnerten   wallpaper
an Reklamationen,° die Frau Küfer bisher zu kraftlos   complaints
gewesen war anzumelden. Fliegen kreisten um die
Lampen, in den Stores° surrte eine Biene, in einer   curtains
Tasse lagen zwei tote Motten, silbrig und rätselhaft.
Frau Küfer starrte sie lange an, sie wurden hier die
Motten nicht los, und jeden Tag gab es Erledigungen
profaner Art,° denen sie sich gewachsen zeigen sollte,   **Erledigungen** ... ordinary
weil sie nun in dem Alter war, in dem man sich um   little tasks
dergleichen kümmert, ja, sich erregt, sich energisch
zeigt und alles bereinigt. Doch traute sie der Dringlichkeit dieser Erfordernisse nicht, zumal nicht an
diesem Vormittag, an dem sie alle Türen aufmachte
und wieder schloß, und an dem es war, als sei die
Bürovorsteherin gar nicht da, wenn man nicht die
Bürotür öffnete und sie sehen wollte, als rühre das
Mädchen in der Küche keine Sauce, sondern stehe
schlafend am Herdrand, solange niemand in die Küche
blickte, als sei auch Herr Küfer am Frühstückstisch
lediglich ein notwendiges Element in der Komposition eines Bildes und hebe die Kaffeetasse nur ihr
zuliebe, wenn sie sich von seinem Vorhandensein zu
überzeugen Lust hatte.

    Gern hätte sie Herrn Küfer mitgeteilt, welche
Empfindung sich ihr da gerade aufdrängte, von der
Leblosigkeit der Lebewesen° in den Räumen einer   living beings
Wohnung, von der Schwierigkeit, sie in Gang zu
halten, doch es war klar, daß Herr Küfer ganz genau
die gleiche Empfindung hatte, deshalb brauchte man
sie nicht erst auszusprechen.

    Sie trat in ihr eigenes Zimmer ein, in ein grünes
Licht, das, gelb und weiß übersprüht, aus dem Garten
hereindrang. Diese Helligkeit hob ihre Stimmung in
eine Höhe, der sie mit keinem Gedanken folgen
konnte, jugendlich gab sie sich einer unprüfbaren
Liebe zu hellen, gelben Sommertagen hin, ihr Atem
wurde kurz im schnellen Andrang eines triumphalen
Vergnügens: Das Leben war in der Mitte,° Blätter   **in** ... at its peak
fielen nicht im blauen Himmel des Juni, kein Aufprallen
von Früchten, kein Vogelzug, keine besonderen
Vorkommnisse, Leere: der frühe Sommer.

    Sie setze sich ans Klavier und spielte mit gefall-

süchtiger° Akkuratesse Tonleitern und Etuden. Es   coquettish
sollte ein Tag der Etuden werden, beschloß sie.
Einmal, erinnerte sie sich, hatten Etuden ihr geholfen,
einen Mann einfach nicht mehr begehrenswert zu
finden. Sie sah die weißen gepuderten Hände ihrer
Klavierlehrerin vor sich, eines alten Fräuleins, das
ebenfalls Halt° in Etuden fand. Sie mußte jetzt tot   stability
sein, weißes, lockeres Haar im Netz, blaue, gläsern
schimmernde Augen, die weißen, vollen und knitteri-
gen° Hände, ihre präzise Ausdrucksweise, ihre gute   wrinkled
Lehrmethode, alles war dahin. Die Akzente, die
Fingersätze, die Frau Isabella Küfer von ihr gelernt
hatte, blieben, alle diese Stücke waren unveränderbar
gelehrt und gelernt worden. Frau Küfer spielte
Etuden von Czerny,* die öde waren, dann die Etuden
von Kreutzer,† die sie bis auf die letzten zwei alle
beherrschte. Die letzten zwei hatte sie nie angesehen,
weil sie sie nicht mehr im Pensum° der Klavierstunden   course
gehabt hatte. Das machte sie heute nachdenklich, auch
die Französischen Suiten von Bach: Es gab zwei, die
sie spielte, die anderen spielte sie nicht, sie würde sie
auch nicht mehr lernen, alles war nur Bestandteil°   component
einer alten Art höherer Bildung gewesen, der man eine
gewisse Zeit widmete, danach kam Neues nicht mehr
hinzu. Die Sonne schien ins Zimmer, Frau Isabella
Küfer spielte die Etuden und die Suiten, die sie konnte,
über ihren Kopf zog Kälte, schob sich unter ihr Haar,
drang sogar in ihren Kopf hinein. Niemand hatte ihr
gesagt, daß man mit der Ankunft eines Tages rechnen
mußte, an dem man alles übersah, was man konnte,
und an dem man auch übersah, daß Neues nicht mehr
hinzukäme. Ein viertel Jahrhundert dieselben Klavier-
stücke, keine neuen Etuden mehr, die Zeit war
überschritten.°   run out
    Die Zeit war überschritten, diese Erfahrung war zu
machen. Man erfuhr noch Neues, aber man lernte nichts
mehr. Frau Isabella fand eine unterhaltsame Betrübnis
in der Aufzählung alles dessen, was nicht mehr zu
erwarten war, wenn man die Zeit überschritten hatte.
Wie viele neue Bücher würde sie noch lesen? Hatte sie
Zeit, alte Bücher noch einmal zu lesen? Sie sah die

* Karl Czerny, Austrian pianist and composer (1791–1857).
† Rodolphe Kreutzer, French violinist and composer (1766–1831).

Grenzen, sie waren knapp und ließen sich kaum oder
nicht erweitern. Erdteile und Länder gab es, die sie
mit Bestimmtheit nicht sehen, Städte, in deren Avenuen
sie niemals spazierengehen würde. Die Sonne schien
ins Zimmer, die Bäume leuchteten mit grünem Laub   sad (*Fr.*)
herein, es war eine gehoben gestimmte Traurigkeit
um Frau Küfer, jene triste° Festlichkeit, in der man
ganz klar sieht, alles.

Immerhin, der eigentümliche Tag nahm noch eine
Wendung: Am Nachmittag sagte sich Herr Oeser für
den Abend an,° und niemand hätte Frau Küfer einen   **sagte ...** announced that he
angenehmeren Abend bereiten können als gerade   would pay a visit
Herr Eduard Oeser, der einmal ihr Liebhaber gewesen
war, ein Mann, von dessen Seite hinweg° sie Eberhard   **von ...** away from whom
Küfer geheiratet hatte. Zu Frau Küfers Lebenskunst
hatte es selbstverständlich gehört, ihn als nun lebenslänglich Kränkelnden° mit Wärme an ihr Haus   invalid
zu binden.

Das Mädchen war schon fort, als er kam. Frau Küfer
stand noch vor dem Spiegel und trug einen Fixierlack
auf ihrem Lippenrot auf, ihre Zähne, weiß, groß,
stark, glänzten: Herr Küfer, hörte sie, öffnete und
nahm Oeser die Blumen ab. Die Männer lachten.
Frau Küfer hatte ihren kleinen, herzlichen Auftritt,
mit den ausgestreckten beiden Armen, dem offenen
Freundinnenblick, der von nichts mehr weiß, aber gern
die Erinnerung im Auge des anderen sieht, sie entfaltete die Sanftmut, mit der man schließlich, weich
fallenden, lockeren Haars, letzte Hand an den gedeckten Tisch legt, sich um den Gast bemüht, als bedaure
man, nur dies wenige für das Glück seines Leibes
tun zu können, hoffe indessen, durch das bloße Beisammensein mit ihm seiner Seele Frieden zu geben.

Auf dem Tisch standen die Rosen, die Herr Oeser
mitgebracht hatte. Die Herren sagten lächelnd, sie
hätten ihr die Mühe, die richtige Vase zu finden,
abgenommen.° Da standen sie, zwischen Weingläsern,   **ihr ...** saved her the trouble
fünf Teerosen, die schönsten, die Frau Küfer je gesehen
hatte. Der Anblick bewegte sie, dies war die allein-
gültige Erscheinung von Teerosen schlechthin,° etwas   **dies ...** they were absolutely
Schöneres an Rosen gab es nicht, ein Mann, der sie   the last word in tea roses
geliebt und den sie verlassen hatte, brachte sie ihr,
nach so deutlich skrupelvoller Wahl. Sie dankte ihm,

Weichheit in der Stimme, Tiefe im Blick, die Herren lächelten, der Abend nahm seinen Lauf. Mehrmals unterbrach Frau Küfer das Gespräch und sagte, mit zusammengelegten Händen: „Nein, wie schön die Rosen sind!" Die Rosen öffneten ihre Blüten nicht, sie hielten sich geschlossen, am leicht aufgebogenen Rand dieses und jenes Blattes von sanftem Rot übergossen. Frau Küfer vergaß die tägliche tückische° Leere ihrer Zimmer, die Motten, die nie geübten Etuden, das manchmal undeutbare° Lächeln Herrn Eberhard Küfers. Im Leben war doch das meiste Rheinwein, Gläser, Sonne, Kerzenlicht, Musik, Verehrung, Rosenbuketts.

    „Ich freue mich, daß ihr so gute Freunde seid", sagte sie, und sie tranken darauf, obgleich Frau Küfer nicht wirklich glaubte, daß die beiden Herren Freunde waren, sie hätte das auch nicht so sehr gern wahrgenommen, es wäre ihr zumindest von Herrn Oeser als nicht galant gegen sie erschienen.

    Am anderen Morgen, als sie den Rosen frisches Wasser geben wollte, waren sie noch immer zarte, starre° Knospen. In der Vase war kein Wasser, die Rosen waren aus Marzipan, Herr Eberhard Küfer lachte, konnte vor Lachen die Zeitung nicht lesen, Frau Küfers bewegte Freude über die schönen Rosen war am vergangenen Abend ein kapitaler Spaß der beiden Herren gewesen, die Rosen waren aus Marzipan.

    Frau Küfer lachte auch ausgiebig, lange lachte sie, die Rosen waren aus Marzipan, mit ihren grün umwickelten Drahtstielen° klapperten sie in der Vase, die Rosen waren aus Marzipan, auf den zuckerigen Knospen lag schon Staub.

    Sie nahm sie mit in ihr Zimmer, dort fühlte sie einen Drang zum Weinen, die Herren hatten sich miteinander über ihre Freude amüsiert, sie hatten zusammengehalten wie Burschen, die eine Tante hereinlegen.° Herr Eduard Oeser hatte keine Passion also gezeigt, nichts Lebenslängliches, er kränkelte nicht, er schenkte ihr lustige Rosen, Rosen zum Essen. Die Zeit war überschritten, es kam die Zeit der einfachen Scherze, der Gesten, die keine geheime, keine tiefere Bedeutung mehr haben.

(Randglossen:) vicious — cryptic — stiff — wire stems — deceive

Sie ärgerte sich, sie setzte sich ans Fenster. Sie saß am Fenster, im weißen Kleid, im hellen Gelb des Vormittags, bescheidener Haltung, hübsch, mit einem Rosenbukett in der Hand.

Warum sollte sie sie nicht essen? Zum Essen waren sie da. Sie legte sie auf den alten braunen Flügel,° spielte noch eine Etude, mit den Akzenten des alten Fräuleins, das mit seinen gläsern blauen Augen schon tot war. Sie war verärgert, auch verwirrt. Was sollte werden? Den Mund voller Jacketkronen, und keine neuen Etuden mehr. Sie stand auf, nahm eine Rose und biß in die Knospe, gefaßt und gesund brach sie Blatt für Blatt ab und aß alles auf, alle fünf gelben, mit leichtem Rot übergossenen Rosen verzehrte sie, in tränenlosem Grimm. Mit den abgegessenen Stielen in der Hand blieb sie stehen und mußte schließlich doch bei ihrer Meinung bleiben, daß Rosen zum Aufessen denn doch nichts, wie sollte sie es nur sagen, nichts Galantes waren.

grand piano

FRAGEN

1. Woher kam Frau Isabella Küfer?
2. Wie war das Wetter?
3. Warum lächelt Frau Küfer?
4. Wie redete sie ihren Mann an?
5. Warum war sie jetzt oft besorgt?
6. Was spielten Herr und Frau Küfer manchmal zu zweit?
7. Was hatte sie ihm einmal ins Gesicht geworfen?
8. Was irritierte Frau Küfer an ihrem Mann?
9. Was tat die Bürovorsteherin?
10. Was tat das Mädchen in der Küche?
11. Was tat Herr Küfer im Eßzimmer?
12. Was sollte Frau Küfer reklamieren?
13. Gegen welche Tiere kämpfte sie?
14. Was hätte sie Herrn Küfer gern mitgeteilt?
15. Was hob ihre Stimmung in die Höhe?
16. Was für Musik spielte sie?
17. Wessen Hände sah sie vor sich?
18. Warum fühlte sich Frau Küfer traurig?
19. Wer hatte sich für den Abend angesagt?
20. Was für Rosen hatte der Gast Frau Küfer geschenkt?

21 Was war am vergangenen Abend ein kapitaler Spaß der beiden Herren gewesen?
22 Warum war Frau Küfer verwirrt?
23 Was wurde aus dem Rosenbukett?
24 Was sind nichts Galantes?

MÜNDLICH-SCHRIFTLICHE ÜBUNGEN

1 Lesen Sie den Satz nach den Beispielen um!
    BEISPIELE: Das war hübsch. / Das war das Hübsche. Das war etwas Hübsches.

a Das war schlecht.
b Das ist täglich.
c Dies ist neu.
d Dies soll glänzend sein.

2 Ändern Sie den Satz, indem Sie dem Beispiel folgen!
    BEISPIEL: Sie hatte keine Gedanken. / Nichts fiel ihr ein.

a Ich hatte keine Gedanken.
b Sie hatten keine Gedanken.
c Hatten wir keine Gedanken?
d Er hatte keine Gedanken.

3 Lesen Sie den Satz nach dem Beispiel um!
    BEISPIEL: Sie saß am Klavier. / Sie setzte sich ans Klavier.

a Ich saß am Klavier.
b Wir saßen am Tisch.
c Er saß am Bett.
d Saßen Sie am Fenster?

4 Lesen Sie den Satz nach dem Beispiel um!
    BEISPIEL: Sie liest neue Bücher. / Sie würde neue Bücher lesen.

a Sie lesen neue Bücher.
b Er spielt Klavier.
c Ich spiele Klavier.
d Essen wir gern?

5 Ändern Sie den Satz nach dem Beispiel!
    BEISPIEL: Das waren Marzipanrosen. / Die Rosen waren aus Marzipan.

a Das waren Holzbänke.
b Das ist eine Marmorplatte.
c Das ist ein Drahtstiel.
d Das ist eine häßliche Mehlsauce.

6   Lesen Sie den Satz nach dem Beispiel um!

      BEISPIEL: Als er sprach, dachte er an nichts. / Beim Sprechen dachte er an nichts.

    a   Wenn ich esse, lese ich die Zeitung.
    b   Als sie spielte, betrachtete sie die Klavierlehrerin.
    c   Als er heimkam, fiel ihm etwas auf.
    d   Wenn sie ankommen, schenken sie Rosen.

7   Lesen Sie den Satz nach dem Beispiel um!

      BEISPIEL: Man will das Paar persiflieren. / Man hat das Paar persiflieren wollen.

    a   Ich will Frau Küfer ansehen.
    b   Die Bürovorsteherin darf nicht rauchen.
    c   Sie sollen mich nicht ernst nehmen.
    d   Sie muß den Rosen frisches Wasser geben.

8   Lesen Sie den Satz um, indem Sie mit den kursiv gedruckten Wörtern anfangen!

      BEISPIEL: Die dunkelgrünen Pflanzen rankten *im Wintergarten.* / Im Wintergarten rankten die dunkelgrünen Pflanzen.

    a   Sie mußte jetzt *tot* sein.
    b   Sie setzte sich *ans Klavier.*
    c   Die Sonne schien *ins Zimmer.*
    d   Die Zeit war *überschritten.*

9   Ersetzen Sie das Substantiv mit einem Fürwort!

      BEISPIEL: Sie gibt den Rosen frisches Wasser. / Sie gibt ihnen frisches Wasser.

    a   Sie traute der Dringlichkeit nicht.
    b   Gern hätte sie Herrn Küfer etwas mitgeteilt.
    c   Wir dürfen Ihren Gedanken folgen.
    d   Niemand hat der Bürovorsteherin etwas gebracht.

10   Beginnen Sie mit dem Nebensatz!

      BEISPIEL: Beim Heimkommen fiel ihr auf, daß sie „mein Mäuschen" sagte. / Daß sie „mein Mäuschen" sagte, fiel ihr beim Heimkommen auf.

    a   Man hielt Baldrian für ihn bereit, wenn er Aufregungen hatte.
    b   Oft war vorgekommen, daß sie ihm die Flasche weggenommen hatte.
    c   Herr Küfer hatte ein glattes Gesicht, wenn er sich so betrug.
    d   Man sah dann, wie er an seinem Glück hing.

HEINZ PIONTEK   AM TAG DANACH

SÄTZE ZUM VORSTUDIUM

1

Sie hatte die Namen aus einem Film, den sie sich dreimal hintereinander angesehen (hatte) und in welchem sich zwei Freunde ein waghalsiges Banditenstück geleistet hatten.

She got the names from a movie, which she had seen three times in a row, in which two pals had pulled off a daring holdup.

2

„Hör auf. Das hätte jedes Flittchen auch getan. Jetzt aber, wo's heiß wird, machst du schlapp."

"Knock it off. Any little tramp would have done that too. But now, when things are getting hot, you throw in the towel."

3

„Eigentlich hast du mir am Anfang ins Auge gestochen, nicht Mike."

"You're the one who really caught my fancy first, not Mike."

4

„Du aber hast von mir nichts wissen wollen."

"But you didn't want to have anything to do with me."

5

„Ihr Jungens wißt nie Bescheid, was in unsereins vorgeht."

"You guys never know what makes us girls tick (what's going on inside the likes of us)."

6

„Sieh's doch ein, daß ich es nicht schaffe."

"Can't you see that I can't make it."

7

Was ihn immer wieder davon abhielt, sich von Littmann zu trennen, war keineswegs nur, daß es an der Seite des Älteren so leicht war, mit all den Widerständen, hinter denen sich die begehrten

What kept him again and again from breaking with Littmann was by no means only that it was so easy, at the side of the older man, to make short work of the obstacles behind which the triumphs

Triumphe und Besitztümer verschanzen,   and possessions they desired were en-
nicht viel Federlesens zu machen.   trenched.

8

   Womit ihn beide Bilder berückten,   He couldn't have explained how the
warum sie ihm als das Höchste galten,   two scenes fascinated him, why they
was ihm jemals zuteil geworden war,   seemed the biggest thing that ever
hätte er nicht zu erklären vermocht.   happened to him.

reideberg stand da, die Hände in den Taschen, und sah in den Hof hinunter. Es war dunkel im Zimmer, auf dem Tischchen neben der Couch qualmte° eine angerauchte° Zigarette in einem Aschenbecher.

°smoldered
°half-smoked

„Also, du willst nicht gehen!" sagte er, ohne sich umzuwenden. Der kleine Hof war von Häusern umgeben, und obgleich unten keine Lampe brannte, konnte man die beiden Fahrräder an der Wand und eine aufgebrochene Kiste, aus der Holzwolle° quoll, deutlich erkennen. Der Schein aus den vielen verhängten Fenstern ringsum hellte den Zementplatz auf.

°wood shavings

„Ich kann nicht", sagte Inge. „Ich bring's nicht fertig."°

°I can't manage it.

„Hat uns der Student nicht hoch und heilig° versprochen, daß wir auf ihn zählen können, wenn mal etwas schiefgehen° sollte?"

°hoch ... by all that's holy
°go wrong

„Ja, ja", sagte sie. „Es tut mir furchtbar leid, Jim, aber ich kann's einfach nicht. Ich bin mit den Nerven so herunter."°

°My nerves are shot.

Sie sagte Jim zu Kreideberg, obwohl er Wolfgang hieß. Reinhold Littmann nannte sie Mike. Sie hatte die Namen aus einem Film, den sie sich dreimal hintereinander angesehen und in welchem sich zwei Freunde ein waghalsiges Banditenstück geleistet hatten.

„So", sagte er bloß. Unverwandt blickte er durch den großmaschigen° Store.

°wide-meshed

„Hab ich nicht genug getan?" beteuerte Inge. „Habe ich etwa die Tür verriegelt, als ihr kamt?" Sie lag im Dunkeln auf der Couch, die Arme aufgestützt, die Hände unterm Kinn.

„Behaupte ich gar nicht."

„War ich nicht in der Apotheke? Hab ich nicht die Zeitungen besorgt?"

„Hör auf. Das hätte jedes Flittchen auch getan.
Jetzt aber, wo's heiß wird, machst du schlapp. Dabei
ist ja die Sache im Grunde ein Kinderspiel. Na, Littmann wird die Konsequenzen ziehen, sei sicher.
Wenn er nicht dran glauben muß."

„Bitte", sagte Inge. „Mal es nicht an die Wand."°   Don't speak of the devil.

„Littmann war ein Idiot, als er sich mit dir ein-
ließ."

Sie gab sich Mühe, ihre Stimme zu verändern.
„Eigentlich hast du mir am Anfang ins Auge gestochen, nicht Mike."

„Sieh mal an."°   You don't say!

„Du aber hast von mir nichts wissen wollen."

Für einen Augenblick vergaß Kreideberg alles.
Nur daran dachte er, wie wild sein Blut geströmt war,
als sie sich kennenlernten, und daß er hauptsächlich
deshalb mit Littmann noch nicht Schluß gemacht
hatte, weil er hoffte, Littmann werde ihr eines Tages
den Laufpass geben,° und dann wollte er in ihrer   **den ...** give her her walking
Nähe sein. Daß ihm das Wasser jetzt bis zum Hals   papers
ging,° daran war sie allein schuld, genau genommen   **daß ...** That he was now in
ihr gelber Pullover.   hot water up to his neck

„Du flunkerst° nicht schlecht", sagte er nervös.   lie

„Es ist die reine Wahrheit. Ihr Jungens wißt nie
Bescheid, was in unsereins vorgeht. Komm, Jimmy",
sagte sie und drehte sich auf die Seite.

Doch sein Inneres war schon wieder hart geworden.
Eine Kruste aus Vorsicht und Skepsis. Darunter
regte sich die Angst. Er blieb auf der Hut.°   **auf ...** on guard

„Gehst du nun, oder gehst du nicht?" fragte er.

„Ich hab Blei in den Beinen", sagte Inge. Sie gab
auf, sprach mit ihrer echten Stimme weiter, die wie
verbrannt klang von Schrecken: „Sieh's doch ein,
daß ich es nicht schaffe."

Nebenan wälzte sich Littmann herum und stöhnte.
Sie lauschten. Er murmelte im Fieber . . . Kreideberg
kehrte dem Mädchen endlich sein Gesicht zu – ein
entschlossenes Gesicht.

„Wenn der drüben etwa schreit, stopf ihm was in
den Mund. Und mach niemandem auf.° Ich klopfe   Don't open the door for
viermal."   anyone.

„Laß mich nicht allein."

„Ich beeil mich."

Er fuhr in den kurzen Mantel;° ein starker, aber nicht sehr großer Bursche mit blonden Brauen und ein wenig vorstehenden grauen Augen. Die Tür zum Treppenhaus öffnete er geräuschlos, nachdem er eine Weile angestrengt hinausgehorcht hatte. Dann stieg er die drei Treppen hinab, beide Hände in den schrägen Manteltaschen unter der Brust.

Draußen nieselte° es: Regen, mit feinem Nebel vermischt. Die Leuchtschriften an den Fronten hatten breite Höfe° von Licht, die Scheinwerfer der Wagen glommen; alle Lichter spiegelte der Asphalt wider, auf dem die Nässe wie flüssiger Lack stand. Kreideberg zog witternd die Luft ein. Er ging unsicher. Wenn ich nur einen Wagen hätte, dachte er. Ich komme mir vor wie auf einem Bein. Und er dachte an den Kapitän,° den er gestern gesteuert hatte. Gleich darauf ertappte er sich, wie er die parkenden Autos taxierte.° Er nahm sich zusammen, spannte seine Aufmerksamkeit an. Nichts durfte ihm entgehen.° An der Haltestelle mußte er überlegen, ob er mit der Sieben° hinausfahren sollte, die einen Umweg machte, oder mit der Drei bis zur Brücke und weiter mit der Vierzehn. Er kannte sich in den Linien nicht mehr recht aus, da er in letzter Zeit die Straßenbahn kaum noch benutzt hatte. Die Drei rauschte als Erste heran; er stieg ein. Hier unter dem vollen Licht, das leicht schwankte, mitten unter Menschen, deren Blicke über ihn hinglitten, wurde es ihm schwer, seine Erregung zu verbergen. Die Handflächen schwitzten, die Kopfhaut juckte. Er drängte sich zum Ausgang des Wagens durch. Von dorther musterte er jeden Zusteigenden° genau. Als die Bahn an der Brücke hielt, wurde er wieder ruhiger. Er sprang ab. Doch er wartete nicht auf die Vierzehn, sondern legte das letzte Stück zu Fuß zurück.

Das „Familienheim" war eine frisch aufpolierte Kneipe. Der Wirt, kahlköpfig, eine Tonnenbrust,° drehte an den Hähnen der Kaffeemaschine. Auf seinem spiegelnden Schädel schimmerte ein Reflex von der bonbonbunten° Beleuchtung der Musikbox. Er maß Kreideberg mit einem mißmutigen Zwinkern.°

„War der Student schon da?" erkundigte sich der neue Gast.

„Was willst du denn von dem?"

fuhr ... slipped his topcoat on

drizzled

halos

(model of Opel car)

was appraising

Nothing must escape him.
number seven (streetcar)

boarding passenger

barrel-chested type

candy-colored
mißmutigen ... sullen squint

„'ne Auskunft. Meine Katze kommt in die
Wochen."°   My cat's going to have
                                                                    kittens.
„Die Schwarze, mit der ich dich mal gesehen hab?"
In diesem Moment trat der Student ein.
„He, Student", sagte der Wirt. „'ne nette Kundschaft
hast du."°   Some customer you've got
                                                                    here!
„Was willst du trinken?" fragte Kreideberg. Er
war selbst verwundert über seine Lässigkeit. Sie schuf
einen leichten Rausch.
„Das Übliche."
Der Student war ungefähr acht Jahre älter als
Kreideberg, Anfang dreißig. Er hatte ein aufge-
schwemmtes° Gesicht, die Wangen bläulich von sorg-   bloated
fältiger Rasur; sein Anzug war abgetragen, doch
peinlich sauber. Nie in seinem Leben hatte er einen
Hörsaal betreten. Seine Kenntnisse stammten aus
einem Heimatlazarett,° wo er in den letzten Jahren des   military hospital
Krieges als Hilfssanitäter° Dienst getan hatte.   (auxiliary) medical corpsman
„Mir ein Helles",° sagte Kreideberg.   A light beer for me.
Sie gingen in die hinterste Ecke des Lokals. Der
Wirt trug eine Tasse Kaffee, in die er ein Glas Kirsch-
wasser geschüttet hatte, und das Bier hinter ihnen her.
Als sie allein waren, sagte Kreideberg:
„Littmann hat's erwischt.° Steckschuß in der   They got Littmann.
rechten Schulter."
„Hat er Fieber?"
„Ziemlich hoch. Du mußt ihm eine Spritze geben,
Student. Vielleicht kannst du auch die Kugel
entfernen."
„Wann hat er das abbekommen?"
„Gestern. Gegen siebzehn Uhr."
Der Student wurde blaß. „Das wart ihr?"
„Es war Littmanns Plan. Ich wollte nicht, es
war mir zu riskant. Aber Littmann hat mich
'rumgekriegt."°   hat ... brought me around
„Und du traust dich auf die Straße?"
„Erst wollte ich Inge schicken, sie war aber nicht
auf die Beine zu bringen."
Der Student trank seinen Kaffee und schwieg.
„Wie ist es nun?" fragte Kreideberg. „Wir zahlen
bar."°   cash
„Willst du etwa hier warten?"
„Warum nicht? Ist doch ein nettes Lokal."

„Was seid ihr nur für abgebrühte Burschen",° sagte der Student. „Also, ich hole meine Instrumente, doch kann ich für nichts garantieren. Ihr hättet gleich gestern nacht einen Arzt herbeischaffen sollen."

„Schon gut."°

Nun hockte er allein am Tisch, und er bestellte zwei Gläser Schnaps dicht aufeinander und danach wieder ein Bier. Zwei tiefbraun geschminkte Frauen standen an der Theke,° lachten nicht mehr ganz nüchtern und äugten nach seinem Platz. Doch für ihn waren sie Luft.° Jemand warf eine Münze in die Box. Gleich füllte der triefend wehmütige Gesang eines Mannes den Raum. Kreideberg ließ die Lokaltür nicht aus den Augen. Allmählich lockerte der Schnaps seine Anspannung, machte ihn nachgiebig, und die dröhnende und schluchzende Musik rührte ihn an. Verdammt allein war man auf der Welt! Kein Mensch hatte sich jemals mit Hingabe um ihn gekümmert.

Sein Vater war im Krieg umgekommen, die Mutter mit armseligen Liebhabern losgezogen. Er war früh seine eigenen Wege gegangen. Bis vor zwei Jahren, bis er an Littmann geraten war, hatte er wie die anderen seines Alters gelebt. Nur nicht so dumm und glücklich wie die, dachte er. Mit Littmann raubte er den ersten Wagen aus.

Dieser Littmann war kein schlechter Kumpan.° Er teilte gerecht, hatte Witz, hatte Einfälle, er verstand, klar und unerschrocken zu denken. Schau dir doch die Bande an, hatte er einmal gesagt. Jeder für sich, jeder strampelt sich ab,° um sein Schäfchen ins Trockene zu bringen.° Kannst du dich erinnern, daß dich mal irgendwer geliebt hat? Richtig geliebt, meine ich, und nicht bloß an deinem Hals gehangen und dir Augen gemacht, als brenne es wo° lichterloh. Na, siehst du. Und wenn Gott die Liebe ist, wie sie in den Kirchen posaunen, dann gibt es ihn eben nicht, denn es gibt keine Liebe. – Das hatte ihn überzeugt. Aber es war etwas wie Haß auf Littmann in ihm hochgeschossen.

Etliche Male hatte er den Entschluß gefaßt, sich auf eigene Faust durchzuschlagen.° Es gelang ihm nicht. Was ihn immer wieder davon abhielt, sich von Littmann zu trennen, war keineswegs nur, daß es an der

---

You're sure tough characters!

O.K., that's enough!

bar

But he ignored them.

buddy

strampelt ... knocks himself out
um ... to feather his own nest

= **irgendwo**

sich ... to get by on his own

Seite des Älteren so leicht war, mit all den Wider-
ständen, hinter denen sich die begehrten Triumphe und
Besitztümer verschanzen, nicht viel Federlesens zu
machen. Er fürchtete und verachtete die Ordnung.
Sie bedeutete für ihn Schmach, Speichellecken, zehn
Schritte hin und zehn her wie auf einem Gefängnishof.
Ach was, ein geordnetes Leben war nicht auszuhalten!
Und zuletzt hielt ihn Inges gelber Pullover.

Kreideberg starrte in sein Glas ... Plötzlich sah er
den Koffer unter dem Bett des verwundeten Littmann,
diesen Koffer, der zur Hälfte mit gebündelten Geld-
scheinen aus der Sparkasse angefüllt war – die gestrige
Beute.° Er empfand keine Gier nach dem Geld, aber   die ... yesterday's haul
die Genugtuung, daß jetzt die ganze Stadt von ihnen
sprach. Unverhofft brach die Musik ab, und er fiel in
seine Düsterkeit und Einsamkeit zurück. Selbst wenn
sie uns nicht schnappen, bleibt doch alles beim Alten,
dachte er. Es gibt kein Glück für mich.

Was Glück war, wußte er genau. Es waren zwei
Bilder in seinem Herzen vorhanden, leuchtend, aus-
gestanzt° wie Medaillen. Auf dem einen erschien eine   stamped out
Straße: Er, ein Zehnjähriger, mitten im Gewühl,°   crowd
die Farben morgendlich, reingewaschen, die Luft
wohltuend, und er hat keine Schule und schlendert
hin, und auf dem Lack eines roten Zweisitzers°   two-seater
glitzert die Sonne. Das zweite Bild war das einer
Frau: Ein festes und zugleich zärtliches Gesicht im
Schatten einer gestreiften Markise,° die halb gerafft,°   awning; halb ... half-rolled
einem Segel ähnlich, ein Dutzend Stühle vor einem
vornehmen Café gegen das Licht schirmt. Womit ihn
beide Bilder berückten, warum sie ihm als das Höchste
galten, was ihm jemals zuteil geworden war, hätte er
nicht zu erklären vermocht. Aber daß sich in ihnen
das Glück dieser Welt unauslöschlich eingeprägt hatte,
war ganz gewiß.

Kreideberg vergaß, auf die Uhr zu schauen, denn
auch den Studenten hatte er vergessen. Er erhob sich,
suchte die Toilette, und als er wieder in den Ausschank
trat, stand neben den Frauen ein Polizist an der Theke,
der mit dem Wirt verhandelte.

„War bei dem nicht mal was mit einem gestohlenen   Didn't he have something
Wagen?"° fragte der Beamte jetzt und sah Kreideberg   to do with a stolen car?
ins Gesicht.

Der hörte die Frage nicht. Er riß die Pistole heraus und feuerte. Die Lampen barsten, nur von dem Musikautomaten blieb ein schwacher Lichtschein übrig. Der Polizist nahm Deckung. Da war der Bursche schon durch die Tür. In großen Sätzen jagte er die abendliche Straße entlang. Schreie vor und hinter ihm. Er gab nicht acht. Lichter. Er rannte mit hochgezogenen Schultern. Naß, verschwommen stürzte die Welt auf ihn zu. Sie war wie ein Gegenbild dessen, was ihm als das Glück erschienen war. Der Polizist blieb ihm auf den Fersen° und keuchte seine Warnungen. Dann schoß er. Die ausgeworfenen Hülsen° klingelten auf dem Pflaster. Kreideberg stieß gegen unüberwindbare Luft, und ein Wirbel drehte ihn fast um. Sein Bewußtsein zerriß. Er brach in die Knie,° schlug mit dem Gesicht auf – eine Bewegung, als wollte er zum ersten und letzten Mal für sein Leben um Vergebung bitten.

blieb ... stuck to his heels

shells

brach ... fell to his knees

FRAGEN

1 Wohin sah Kreideberg?
2 Warum will Inge nicht gehen?
3 Woher hatte Inge die Namen Jim und Mike?
4 Warum hatte Kreideberg mit Littmann noch nicht Schluß gemacht?
5 Warum wälzt sich Littmann herum und stöhnt?
6 Beschreiben Sie Kreideberg!
7 Wie war das Wetter?
8 Wie ist Kreideberg in die Kneipe gefahren?
9 Wo sprang er von der Straßenbahn ab?
10 Wie hieß die Kneipe?
11 Könnte dieser Name etwa eine ironische Bedeutung haben? Erklären Sie!
12 Woraus kann man ersehen, daß Kreideberg wohl sehr oft als Gast in dem „Familienheim" zu sehen war?
13 Was will der Student trinken?
14 Woher stammten die ärztlichen Kenntnisse des Studenten?
15 Was war mit Littmann los?
16 Erzählen Sie von Kreidebergs Kindheit!
17 Was hatte Littmann über Gott und die Liebe behauptet?
18 Warum trennte sich Kreideberg von Littmann nicht?
19 Wer stand jetzt neben den Frauen an der Theke?
20 Womit will der Autor unser Mitleid mit Kreideberg erwecken?

MÜNDLICH-SCHRIFTLICHE ÜBUNGEN

1 Zum Auswendiglernen (Diktat).

KREIDEBERG Also, du willst nicht gehen.

INGE Ich kann nicht. Ich bring's nicht fertig.

KREIDEBERG Hat uns der Student nicht versprochen, daß wir auf ihn zählen
können, wenn mal etwas schiefgehen sollte?

INGE Es tut mir furchtbar leid, Jim. Ich kann's einfach nicht. Ich bin mit
den Nerven so herunter.

2 Reflexive Verben. Folgen Sie dem Beispiel und drücken Sie jeden Satz mit dem
gegebenen eingeklammerten Subjekt aus!

BEISPIEL: Du traust dich nicht auf die Straße. (ich) / Ich traue mich nicht auf
die Straße.

a Ich hatte mir den Film dreimal hintereinander angesehen. (du)
b Du beeilst dich, in die Kneipe zu kommen. (wir)
c Er erkundigt sich, ob der Student schon da wäre. (ich)
d Niemand hat sich um ihn gekümmert. (kein Mensch)
e Kannst du dich an den Film erinnern? (sie, *pl.*)
f Sie gab sich Mühe, die Stimme zu verändern. (ich)
g Wir kommen uns vor, wie auf einem Bein. (Kreideberg)
h Kennst du dich in der Stadt aus? (Sie)

3 Partizip Perfekt. Bilden Sie das Partizip Perfekt aus den folgenden Infinitiven
und benutzen Sie sie als Adjektive mit den korrekten Endungen, um den gegebenen Substantiven zu entsprechen!

BEISPIEL: von ihr anrauchen · die Zigarette / die von ihr angerauchte
Zigarette

a verhängen · die Fenster
b aufstützen · die Arme
c fest entschließen · das Gesicht
d aufbrechen · die Kiste
e sehr abtragen · der Anzug
f frisch aufpolieren · die Kneipe
g mit feinem Nebel vermischen · der Regen
h von Häusern umgeben · der Hof
i tiefbraun schminken · zwei Frauen
j stehlen · der Wagen

4 Partizip Präsens. Bilden Sie das Partizip Präsens aus den folgenden Infinitiven
und benutzen Sie sie als (a) Adjektive mit der korrekten Endung oder (b) als
Adverbien!

BEISPIELE: Die Musik rührte ihn an. (schluchzen) / Die schluchzende Musik
rührte ihn an.

Der Gesang eines Mannes füllte den Raum. (triefen) / Der Gesang eines Mannes füllte triefend den Raum.

a   Er war ein starker Bursche mit grauen Augen. (vorstehen)
b   Er ertappte sich, wie er die Autos taxierte. (parken)
c   Der Polizist rief ihm seine Warnungen nach. (keuchen)
d   Aus der Musikbox ertönte ein Lied. (dröhnen)
e   Die Frauen sprachen mit dem Wirt. (an der Theke stehen)

Musterübungen

5   BEISPIEL: Jedes Flittchen hätte das auch getan. / Das hätte jedes Flittchen auch getan.

a   Jeder hätte es getan.
b   Ich hätte es getan.
c   Sie hätten es gesagt.
d   Littmann hätte es verstanden.
e   Jeder Student hätte das gewußt.

6   BEISPIEL: Du wolltest von mir nichts wissen. / Du hast von mir nichts wissen wollen.

a   Sie mochten nichts mit ihm zu tun haben.
b   Sie durften nichts mit ihr zu tun haben.
c   Sie sollten mit ihr nichts zu tun haben?
d   Warum wollten Sie nichts mit mir zu tun haben?

7   BEISPIEL: Ihr Jungens · Bescheid · wissen · nie · was · uns · vorgehen / Ihr Jungens wißt nie Bescheid, was in uns* vorgeht.

a   Sie (You) · Bescheid · wissen · gestern · was · ich · vorgehen
b   Er · Bescheid · wissen · stets · was · seine · Frau · vorgehen
c   Ich · Bescheid · wissen · werden · nie · was · Sie (you) · vorgehen
d   Ich · wissen · gern · Bescheid · was · hier · vorgehen

8   BEISPIEL: Er konnte seine Erregung kaum verbergen. / Es wurde ihm schwer, seine Erregung zu verbergen.

a   Er wird seine Freude kaum verbergen können.
b   Konnte sie das Hotelzimmer kaum verlassen?
c   Hätte er Inge kaum vergessen können?
d   Ich kann den Mund kaum halten.

9   BEISPIEL: Sie haben gestern den Arzt nicht herbeigeschafft. / Sie hätten gestern den Arzt herbeischaffen sollen.

a   Sie sind im Hotelzimmer nicht geblieben.
b   Er hat sich auf die Strasse nicht getraut.
c   Seine Mutter hat sich um ihn nicht gekümmert.
d   Er hat seine Aufregung nicht verborgen.

* Dativ.

10   BEISPIEL: Ich habe keinen Wagen. / Wenn ich nur einen Wagen hätte!

    a   Sie hat keine Zeit dazu.
    b   Ich habe gestern kein Auto gehabt.
    c   Ich wußte das nicht.
    d   Er hat den Brief nicht geschrieben.

ERNST PENZOLDT   DER DELPHIN

SÄTZE ZUM VORSTUDIUM

1

Denn nur um sie ist es ihnen zu tun.

For they are concerned only about them.

2

Ich ließ mir die Speisekarte erklären. / Ich wurde nicht müde, mir von dem kleinen buckligen Kellner in Wien die Speisekarte erklären zu lassen.

I had the menu explained to me. / I never got tired of having the little hump-backed waiter in Vienna explain the menu to me.

3

Denn ich hatte, noch ehe der Ober, einer von der tänzerischen Art übrigens, mit einem vielsagenden, warnenden Blick über die Natur meines Gastes mich ins Bild gesetzt hatte, erraten, daß der Fremde von seinen Geschichten lebte.

For I had guessed, even before the waiter—one of the "dancing kind" himself—had given me the picture by a significant, warning glance about the nature of my guest, that the stranger lived by his stories.

4

Denn nicht immer mochte er ein so williges Ohr finden wie bei mir, obwohl er durch lange Übung einen Blick dafür gewonnen hatte, wem er sich zumuten dürfe.

For he couldn't always find such a receptive ear as mine, although by long practice he had developed an eye for the person he could count on.

5

Ich bedeutete dem besorgten Ober, daß ich im Bilde sei und daß es mir nicht darauf ankommen sollte, ein wenig gerupft zu werden.

I indicated to the solicitous waiter that I understood and that it wouldn't matter to me if I were taken in a little.

6

Meine Gewährsleute sagten, er komme auf Chorillos Ruf hurtig herbeigeschwommen.

My informants claimed that he came swimming up nimbly at Chorillo's call.

45

7

Ich glaubte das natürlich nicht, obwohl die Leute das anmutige Schauspiel mit eigenen Augen vom Dampfer aus gesehen haben wollten.

Naturally I didn't believe that, although people claimed that they had seen the charming spectacle from the steamer with their own eyes.

8

Ich konnte den orangefarbenen Strand überschauen mit den bunten Fischerbooten, die an Land gezogen worden waren. / Ich konnte den orangefarbenen Strand mit den an Land gezogenen bunten Fischerbooten überschauen.

I could survey the orange beach with the gaily colored, beached fishing boats.

9

Ich setzte mich an einen runden Tisch mit der weißen Marmorplatte, die in den Cafés der ganzen Welt gebräuchlich ist. / Ich setzte mich an einen runden Tisch mit der ebenfalls in den Cafés der ganzen Welt gebräuchlichen weißen Marmorplatte.

I sat down at a round table with a white marble top of the type you find in cafés all over the world.

10

Wenn es keine Journalisten gäbe, wäre weniger Unglück in der Welt.

If there were no newsmen, there would be less misfortune in the world.

11

Sie sind von Berufs wegen natürlich darauf erpicht, den Lesern Ihres Blattes etwas Interessantes berichten zu können.

By profession you are naturally intent upon being able to report something interesting to the readers of your paper.

12

Ja, erwiderte Apollo, der es offenbar darauf anzulegen schien, mich zu kränken.

Yes, replied Apollo, who evidently seemed intent upon offending me.

13

Die Wissenschaft hat es sogar einwandfrei nachgewiesen, so widernünftig es auch erscheint, daß gewisse Körper diese Eigenschaft besitzen.

No matter how irrational it appears, science has proved without question that certain bodies possess this property.

14

Apollo ließ sich's gleichmütig gefallen.

Apollo took it good-naturedly.

15

Wenn es nicht wahr gewesen wäre, hätten Sie doch auch nichts berichten können.

If it had not been true, you wouldn't have been able to report anything anyway.

16

Er erhaschte Chorillo, dem es gerade noch gelang, die Serviette zwischen die lachenden Zähne zu nehmen.

17

Der Sage nach soll er seinen Söhnen im Spiegel erschienen sein und sie so in Erstaunen gesetzt haben, daß sie künftig von ihrer Barbarei geheilt waren.

18

Ist das nicht die Natur des Poeten und also auch des sonderbaren Fremden Auftrag?

19

Ich verstehe mich ein wenig darauf, meine Taschenapotheke mit Erfolg anzuwenden.

20

Ich machte mir ernstliche Gedanken, ob nicht am Ende doch meine sträfliche Neugier sollte schuld gewesen sein.

He caught up with Chorillo, who just succeeded in grabbing the napkin with his laughing teeth.

According to legend, he is said to have appeared to his sons in a mirror and so astonished them that they were henceforth cured of their barbarity.

Isn't that the nature of the poet and hence the mission of this odd stranger?

I know a little about using my first aid kit successfully.

I was deeply concerned about whether my reprehensible curiosity might have been to blame after all.

> Heut bedarf's der kleinsten Reise
> zum vollgültigen Beweise,
> daß wir mehr als Fische sind.
>
> FAUST II

„Ich sammle Kellner", sagte der mitteilsame
Fremde, der sich unaufgefordert zu mir an den Tisch
gesetzt hatte, „ich sammle sie mit Leidenschaft wie
andere Leute Fayencen,° Hinterglasbilder° oder Geigen-
schnecken,° was ich freilich immer als barbarisch
empfunden habe. Denn sie sägen dazu doch wahrhaftig mir nichts dir nichts° den herrlichsten Instru-
menten den Hals ab und hängen die Schnecken in
Glasschränken auf wie Skalps. Denn nur um sie ist es
ihnen zu tun. Ich meinesteils sammle Kellner. Es
sind sehr merkwürdige Menschen, obwohl, wie
schließlich in jedem Beruf, ausgemachte Spitz-
buben darunter sind. Ich kenne den Wiener Kellner
so gut wie den Pariser, den von San Franzisko so
gut wie den in Kapstadt° oder Peking mit ihren
landesüblichen Eigenheiten, aber, wo auch immer in
der weiten Welt ich ihnen begegnete, alle waren unverwechselbar Kellner, ich meine, sie bilden innerhalb
der Menschheit, ob sie nun weiß, gelb oder schwarz
seien, eine besondere Gattung, eine Art Orden wie
die Davidsbündler* oder Rosenkreuzer.° Ich traf unter
ihnen wahre Meister ihres Faches, Tänzernaturen, denen
zuzusehen allein schon einen künstlerischen Genuß
bereitet, Menschenkenner von hohen Graden und
bedeutende Philosophen, wenn Sie wollen, auch
Dichter. Machen Sie einmal den Versuch, Ihre Freunde
oder bekannte Persönlichkeiten sich als Kellner
vorzustellen. Das ist sehr lustig und aufschlußreich.
Ich wurde nicht müde, mir von dem kleinen buckligen
Kellner in Wien die Speisekarte erklären zu lassen.
Er wußte mit Worten die einzelnen Gerichte vor
meinen Augen köstlich zuzubereiten, er besang sie,
und was der Schenke in Perugia mir vom Wein

faience (pottery); paintings on glass
violin scrolls

mir ... indiscriminately

Cape Town

Rosicrucians

* An imaginary group of artists and art-lovers created by Robert
Schumann.

erzählte, das kann ich nur als orphisch bezeichnen.
Einen anderen traf ich in Kairo, der war ein Zauberer.
Er setzte eine Terrine auf den Tisch und ließ mich
wünschen, was darinnen sein sollte. Ich riet aufs
Geratewohl:° Schneehuhn° mit Champignons in   **aufs** ... at random;
Burgundersoße. Er nahm seine Serviette – ich glaube,   ptarmigan
die Serviette ist die materialisierte Seele des Kellners –,
deckte sie darüber, murmelte Hokuspokus und hob
den Deckel auf. Es war Schneehuhn! In Kairo! Aber
die Zierde meiner Sammlung, eine meiner frühesten
Erwerbungen übrigens, fand ich auf der Insel Anthos.*
Hören Sie zu. Ich schenke Ihnen die Geschichte. Aber:
ein Drittel Wein, ein Drittel Tabak, ein Drittel
Phantasie, das ist mein Rezept."

    Also ließ ich ihm ein Glas bringen, schenkte ein und
schob ihm meine Zigaretten hin. Denn ich hatte, noch
ehe der Ober, einer von der tänzerischen Art übrigens,
mit einem vielsagenden, warnenden Blick über die
Natur meines Gastes mich ins Bild gesetzt hatte,
erraten, daß der Fremde von seinen Geschichten lebte.
Ein hartes Brot° fürwahr. Denn nicht immer mochte   **hartes** ... difficult living
er ein so williges Ohr finden wie bei mir, obwohl er
durch lange Übung einen Blick dafür gewonnen hatte,
wem er sich zumuten dürfe. Sonst hätte er sich ganz
gewiß nicht zu mir gesetzt.

    Mir fiel damals gerade wieder mal gar nichts ein, so
daß ich froh sein mußte, wenn mir jemand eine
Geschichte schenkte. Man wird sich fragen, warum
der wandernde Rhapsode° sie nicht selber zu Papier   improvising poet,
brachte. Aber das war eben sein Verhängnis, daß er es   rhapsodist
nicht vermochte. Er erfand sie im Augenblick und
hatte, wenn er begann, wahrscheinlich noch keine
Ahnung, wie sie enden werde. Ich bedeutete dem besorgten Ober, daß ich im Bilde sei und daß es mir
nicht darauf ankommen sollte, ein wenig gerupft
zu werden. Denn mein Gegenüber, das sah man ihm
an, war ein durstiger Erzähler. Er brauchte den Wein,
um fabulieren zu können, und mußte fabulieren, um
zu seinem Wein zu kommen.

    „Also, hören Sie zu", begann er, nachdem er die
Flasche behutsam mit beiden Händen zum Licht
gehoben, die Legende auf der Etikette mit Jahrgang°   vintage

* An invention of the author.

und Wachstum° kennerisch betrachtet, ihr zugenickt   growth
und mit einem prüfenden Schluck die Lippen gefeuch-
tet hatte, „von Anthos will ich erzählen, der blonden
kleinen Insel, der göttlichen, von der dortzulande die
Sage geht, sie sei vom Monde gefallen – man könnte
es wahrhaftig meinen, daß sie nicht von dieser Erde
sei – und von dem kummervollen Kellner Apollo
und von der merkwürdigen Sache mit dem Fisch."

„Apollo", unterbrach ich ihn ungläubig, um ihm
anzudeuten, daß ich wohl merkte, wie bedenkenlos er
in der Wahl seiner Namen sei, „hieß er wirklich so?"

„Doch, doch", beharrte der Fremde, leicht verstimmt, „ich kann's nicht ändern, er hieß tatsächlich
Apollo, obwohl er durchaus nichts an sich hatte von
dem lichten, leuchtenden Musageten,* dem heilenden,
reinigenden delphinischen Gott. Er glich vielmehr dem
unglücklichen Marsyas,† wenn er auch kein Flötenspieler war, kein Künstler jedenfalls wie jener, der
sich vermaß,° mit einer Gottheit in musikalischen   dared
Wettstreit zu treten. Welch ein Unrecht! Ich meine
von dem Gott der Leier, daß er darauf einging.
Welche Göttergrausamkeit! Mein Mitgefühl stand
immer auf des armen, geschundenen° Marsyas' Seite, des   flayed
großen Künstlers. Ist es Ihnen schon aufgefallen, daß
viele Künstler und Weise sein Antlitz tragen, daß sie
Satyrgesichter haben wie Sokrates oder Verlaine?‡
Der Kellner von Anthos glich einem Satyr. Sie
kennen den Marsyas des Myron,§ so etwa sah er aus,
oder aber wie der tote Zentaur auf der Schale in
München. Ich werde sein Gesicht nie vergessen.

Die Insel mit dem reizenden Städtchen gleichen
Namens kannte dazumal kein Mensch, als ich sie zum
ersten Male besuchte aus purer Neugier. Denn ich war
jung und hatte es mir in den Kopf gesetzt, die ganze
Welt sehen zu müssen. Heute weiß ich, daß das gar
nicht nötig ist. Es genügt, an einer Ecke des Lebens
zu stehen, wenn man sich nur Zeit läßt und nicht ungeduldig wird. Ungeduld ist ein gefährliches Laster.

---

* An epithet for Apollo as the leader of the Muses.
† Supposed to have challenged Apollo to a musical contest.
  Having won, Apollo punished Marsyas by flaying him alive.
‡ Paul Verlaine, French symbolist poet (1844–1896).
§ A famous sculptor of ancient Greece.

Die Welt kommt ganz von selbst zu einem, ob man will oder nicht. In meines Großvaters Haus (er hatte die Gegend nie verlassen und konnte weder lesen noch schreiben) saß eines Tages Goethe am Tische, von einem Ritte rastend, und auch Napoleon kam mit seinem Schlitten vorüber von Rußland. Ein Bekannter von mir, auch ein Kellner übrigens, ein lieber, geduldiger Mensch, ist aus seinem idyllischen Heimatort im Thüringer Wald nie herausgekommen und wurde daselbst am hellichten Tage von einem Berberlöwen° gefressen, der aus einer wandernden Menagerie ausgebrochen war. Doch das ist eine andere Geschichte."

African lion

Mein Erzähler schien von dem schauerlichen Ereignis ehrlich bewegt, obwohl er es doch eben erst erfunden hatte. Er spülte die traurige Erinnerung mit einem Schluck Wein hinunter. Ich meinesteils hatte ihn jedoch in hinreichendem Verdacht, daß er selber auch nicht viel weiter in der Welt herumgekommen war als sein beklagenswerter Freund, obwohl er es mich glauben machen wollte. Auch zeigte er eine unausstehliche Sucht, sein akademisches Wissen an den Mann zu bringen.°

sein ... to "sell," show off his academic knowledge

„Wo war ich bloß stehengeblieben", fuhr er fort, nachdem er sich über die Augen gewischt, „Insel, Meer, Kellner Apollo, ganz recht! Wie kam ich dorthin? Ich bereiste damals als Berichterstatter° der *Frankfurter Zeitung* den Süden und hatte zufällig in der Bahn ein seltsames Gerücht° gehört, eine unwahrscheinliche Geschichte, so unglaubwürdig, daß ich mir sofort sagte: Da mußt du hin.

reporter

rumor

In der Bucht von Anthos, sagten meine Gewährsleute,° wo die jungen Burschen der Insel zu baden pflegen, gibt es Delphine, die, wie Sie wissen werden, sehr kluge, gesellige, zärtlich verspielte Tiere sind. Einer von ihnen nun habe sich nach anfänglicher Scheu mit einem beherzten Jüngling namens Chorillo – der Name ist spanisch und bedeutet Wasserstrählchen – so befreundet, sei alsbald so zutraulich geworden, daß er den ungleichen Gespielen auf seinen Rücken reiten lasse und ihn durch die Brandung° trage. Er komme auf Chorillos Ruf hurtig herbeigeschwommen. Denn: er ist neugierig wie ein Fisch, Faust Zwo.° ,Simo, Simo', muß man rufen, darauf hören die Delphine,

informants

surf

=**Zwei**, of Goethe's drama (Part Two)

wenn man dem Plinius glauben darf, bei dem Sie
einen ähnlichen Bericht nachlesen können.

Der Delphin, sagten die Leute in der Bahn, bringe
seinen Freund sogar auf dem Wasserwege zu den
Fischerdörfern ringsum, seinen Dienstgang abzu-
kürzen; denn Chorillo ist der Postbote von Anthos.

Dies also hörte ich, aber ich glaubte natürlich kein
Wort von der Geschichte, obwohl die Leute das
anmutige Schauspiel mit eigenen Augen vom Dampfer
aus gesehen haben wollten. Entweder, so sagte ich
mir, hat ein Spaßvogel° das Märchen des jüngeren   practical joker
Plinius aufgewärmt, was in den Hundstagen zuweilen
vorkommt, wie die berühmte Seeschlange zeigt, oder
Chorillo ritt auf einem Balken° oder einem Gum-   plank
midelphin, wie man sie überall in den Seebädern
kaufen kann. Genug, ich beschloß, der Sache an Ort
und Stelle° nachzugehen.   an ... right on the spot

Die Insel Anthos ist mit dem besagten Dampfer zu
erreichen, der bei Bedarf einmal in der Woche vor der
Bucht vor Anker geht. Natürlich hielt ich während der
Fahrt fleißig Ausschau."

Nun, dachte ich bei mir, während der Erzähler
sich neu einschenkte, nun wird gleich das Wort:
Reling kommen – denn er erging sich in den ausge-
fahrenen Gleisen der Sprache. Wirklich, es kam!

„Ich lehnte mich über die Reling. Die Delphine
stimmten jedenfalls, die sich aus Meereswogen, so
scheint es, in Tiere verwandelt haben.   Sie begleiteten
unser Schiff. Es war das übliche kurzweilige Bild, an
dem man sich freilich nicht satt sehen kann. Aber der
Delphin-Reiter war nicht dabei.

Ein Boot mit zwei großen Augen am Bug,° wie   bow
man sie auf griechischen Augenschalen findet, brachte
mich an Land zu dem einzigen Hotel am Platze,
denn Hotel nennt sich im Süden jede elende Herberge.
Allein das Hotelchen in Anthos (ich habe seinen
Namen vergessen, und er tut auch nichts zur Sache°)   er ... it's not pertinent,
sah ganz vertrauenerweckend aus, hatte eine bezau-   anyway
bernde Lage, und vom Fenster meines bescheidenen
Zimmers, das mir der satyrgesichtige Kellner Apollo
anwies, konnte ich die ganze Bucht überschauen, den
orangefarbenen Strand mit den an Land gezogenen
bunten Fischerbooten und die den Hafen umarmenden

Höhen. Die Vorgebirge glichen den Häuptern gewaltiger Löwen, die sich zur Tränke lagern."

Die poetische Gedankenverbindung gab meinem Gast willkommene Gelegenheit, selbst zu trinken, ehe er fortfuhr.

„Sie zweifelten vorhin an dem Namen Apollo. Ich hatte einmal einen schwarzen Diener, der sogar Jupiter hieß. Der Kellner Apollo begegnete mir anfangs mit unverhohlenem Mißtrauen, er war bildhäßlich° von Angesicht, eine Herausforderung an alle Schönheit, ihr tragischer Kontrapunkt sozusagen. Man konnte erschrecken, panisch erschrecken, wenn er einen so ansah, mit seinen schrägstehenden, bernsteinfarbenen° Ziegenaugen und der aufge- schnupften Nase. Denn auch sie schien einen anzu- staunen aus runden Nüstern. Sein Mund, wenn man es als Mund bezeichnen darf, war groß und wulstig, gleichsam ein Urmund,° groß seine Ohren, hinter deren einem der abgekaute Stummel eines Bleistiftes stak. Er hatte dazu eine zarte rosige Haut, die dem Ge- sicht etwas Nacktes, leicht Verwundbares gab, und das rötliche, dünne, feuchte Haar hing ihm schlaff in die kummervolle Stirn. Wehe diesem Armen, wenn er je Liebe empfand.° Denn ihn zu lieben, wer hätte es vermocht? Seine Gestalt wirkte verwachsen, er hinkte ein wenig. Sie werden verstehen, daß er sofort meine Sammelleidenschaft erregte.

Ich setzte mich, vorsorglich mit Fernglas und Foto- apparat bewaffnet, auf die Terrasse vor das Hotel auf einen der üblichen weißen Metallstühle an einen runden Tisch mit der ebenfalls in den Cafés der ganzen Welt gebräuchlichen weißen Marmorplatte, bestellte mir Wein und genoß die Aussicht, das rot-weiße Sonnen- segel über mir.

Apollo, die Serviette – seine Seele – unter die Achselhöhle geklemmt, brachte das Gewünschte. Seine Serviette hatte er immer bei sich. Über den Arm gelegt, über die Schulter geworfen, in die Tasche gesteckt, daraus ihre Zipfel hervorhingen, oder in den Schürzenlatz° geschoben. Ich glaube, er hatte sie nachts unter dem Kopfkissen und schlief mit ihr. Er trug eine weiße Schürze und ein nachtfarbenes Lüsterjäckchen° darüber.

bildhäßlich°	extremely ugly
bernsteinfarbenen°	amber-colored
ein Urmund°	primeval, monster mouth
Liebe ... empfand°	Liebe ... fell in love
Schürzenlatz°	apron flap
Lüsterjäckchen°	glossy jacket

Meine Anwesenheit schien ihn zu beunruhigen.

‚Sie kommen wegen des Fisches, mein Herr‘, fragte er ganz nebenbei, während er auf meinen Wunsch aus der blauen Syphonflasche einen Strahl Sodawasser in meinen Wein zischen ließ.

‚Ein Delphin ist kein Fisch‘, antwortete ich.

‚Ganz recht. – Vom Festland?‘°   mainland

‚Ja. Man hat dort davon gehört.‘

Apollo machte eine bedauernde Handbewegung.

‚Polizei?‘

‚Nicht ganz. Zeitung.‘

‚Oh‘, sagte Apollo abschätzig, ‚Sie sind Journalist?‘

‚Erschreckt Sie das?‘

‚Offen gestanden, ja. Wenn es keine Journalisten gäbe, wäre weniger Unglück in der Welt.‘

‚Sie verwechseln Ursache und Wirkung, mein Bester. Es ereignet sich etwas irgendwo, und wir schreiben darüber. Das ist alles.‘

Apollo bedachte sich einen Augenblick, indem er seine Serviette ansah, die in seinen Händen wirklich einem beseelten Wesen glich.

‚Verzeihung‘, sagte er dann, ‚aber haben Sie noch nicht bemerkt, daß, sobald irgendwo ein Journalist erscheint, ein Unglück passiert? Ich übertreibe.‘

‚Sie überschätzen uns‘, warf ich ein, während ich ihn zum Sitzen einlud.

‚Danke, mein Herr, ich sitze nie. Sie sind von Berufs wegen natürlich darauf erpicht, den Lesern Ihres Blattes etwas Interessantes berichten zu können. Sie rechnen mit° der Eitelkeit des Unglücks. Sie kitzeln   rechnen ... rely on es. Es gefällt sich in seiner Rolle. Es will beachtet sein und liefert Ihnen bereitwillig Stoff.‘

Sein gescheites Gesicht nahm einen flehenden Ausdruck an.

‚Lassen Sie uns doch hier in Frieden! Ich bitte Sie darum.‘

‚Aber, lieber Freund, ich kann doch schließlich nichts dafür,° wenn auf dieser schönen Insel, in dieser   ich ... I can't help it herrlichen Bucht sich so erstaunliche Dinge begeben. Ich glaube nebenbei kein Wort davon, ehe ich es nicht mit meinen eigenen Augen gesehen habe.‘

‚Das ist es ja‘, jammerte der Kellner. ‚Würden Sie es einfach glauben, es hinnehmen, dann kämen Sie gar

nicht auf den Gedanken, hierher zu kommen. Es
geht Sie doch eigentlich gar nichts an.°'

After all it doesn't really concern you.

,Aber, erlauben Sie', erwiderte ich und suchte mit
meinem Fernglas die Bucht ab, ,es ist doch schließlich
nichts Alltägliches, wenn man sich erzählt, daß ein
Delphin – kein Fisch übrigens, ein Warmblütler, er
bringt lebendige Junge zur Welt – ich meine, wenn ein
Delphin innige Freundschaft mit einem jungen Manne
schließt,° auf seinen Ruf an den Strand geschwommen
kommt, ganz zahm, gefügig wie ein Hund, und den
Jüngling auf seinen Rücken nimmt, nur ihn, wie man
behauptet.'

Freundschaft ... becomes friends with

,Nur ihn', sagte der Kellner und nickte.

Ich muß hier erwähnen, daß unser Gespräch nicht
fortlaufend geführt wurde. Apollo hatte zu tun.° Er
bediente noch andere Gäste, Einheimische, die
drinnen im kühlen Hause ihren schwarzen Wein
tranken, nicht in der Sonne wie ich, der Fremdling.
Aber er kam zwischendurch immer wieder zu mir.
Ich ließ nicht locker.°

zu ... things to do

I didn't give up.

,Eine reizende Erfindung ohne Zweifel, aber ich
glaube es nicht.'

,Sie scheinen wenig Phantasie zu haben', erwiderte
Apollo, der es offenbar darauf anzulegen schien, mich
zu kränken.

,Dachte ich's doch! es ist also ein Märchen. Unser
Delphin ist eine Ente.° Bitte zahlen!°'

here canard, hoax; The check, please!

Apollo nahm überhaupt keine Notiz von meinem
Wunsch. Wieder beschäftigte er sich angelegentlich
mit seiner Serviette, die er krüppelte, an der er zupfte
und ihr allerlei faltige Gestalten gab, daß sie wirklich
einem lebenden Wesen glich, bald einer Möwe, bald°
einer Blume oder einem Engel oder einem Fisch.
Was er dann sagte, war sehr merkwürdig. Es hatte
eigentlich nichts mit dem Delphin zu tun, so dachte
ich wenigstens.

bald ... **bald** first . . . then

,Die Wissenschaft behauptet', brachte er zögernd
vor, ,sie hat es sogar einwandfrei nachgewiesen, so
widernünftig es auch erscheint, daß gewisse kleinste
Körper die Eigenschaft besitzen, gleichzeitig an ver-
schiedenen Orten im Raum zu sein.'

,Ganz recht. Sie tun es eben', erwiderte ich.

,Ich glaube es nicht, ehe ich es nicht mit eigenen

Augen gesehen habe. Sie, mein Herr, haben es
gesehen?'
    ,Nein. Natürlich nicht.'
    ,Aber Sie glauben es?'
    ,Natürlich ja.'
    ,Natürlich!'
    Ich hatte keine Ahnung, wo er hinaus wollte.° wo ... what he was getting
Zudem fesselte jetzt etwas anderes meine Aufmerk- at
samkeit. Ein Mädchen hatte den Schauplatz betreten,
eine Hirtin mit ihren Ziegen. Sie warf mir einen
scheuen feindseligen Blick zu und blickte sich suchend
um. Dann setzte sie sich auf die Mauer gegen das Meer
und wartete. Sie trug eine gelbe Bluse, sie hatte
etwas von einer Zigarrenschachtelbilderschönheit.
    ,Chorillo ist nicht hier, Moira', bemerkte Apollo
nebenhin.
    ,Nicht hier?' sagte Moira traurig.
    ,Du siehst es doch', antwortete Apollo gereizt.
,Vielleicht ist er im Wasser.'
    ,Im Wasser?' Sie sprang erregt auf und stand nun
auf der Mauer, mit der Hand die Augen beschattend,
und schaute auf die Bucht. Zur gleichen Zeit vernahm
ich einen klagenden Ruf nicht von Menschenmund,
sondern von einem sehnsüchtigen Tier. Auch ich
war aufgestanden.
    ,Hörst du es?' sagte Apollo, ,da ist er wieder.'
    ,Der Fisch', flüsterte Moira schaudernd.
    Also doch.° Wahrhaftig, er war es. Ich konnte ihn   And it was.
mit bloßen Augen erkennen, auch das Wassersträhl-
chen über seiner Schnauze. Er schwamm ganz nahe
am Strand auf und ab, unruhig schnaubend hin und
her. Die Schwanzflosse° tauchte auf für einen Augen-   tail fin
blick wie die Mondsichel aus den schäumenden
Wolken der Wogen.
    ,Nein, sehen Sie bloß einmal an', sagte ich voller
Entzücken zu dem Mädchen.
    ,Ich will ihn gar nicht sehen', stieß sie giftig hervor.
Sie zitterte am ganzen Leibe vor Zorn und Leidenschaft.
    Der nasse Rücken des Delphins glänzte wie nacht-
blaue Seide, sein Bauch schimmerte silberweiß, wie die
Samenscheide° der Mondviole° mit einem Hauch von   seed pod; lunaria, "satin
Rosa. Welch ein herrliches, welch ein klassisches Tier!"   pod"
unterbrach sich mein Gast. „Eine echt griechische

Erfindung möchte man sagen, aber es ist natürlich
umgekehrt. Betrachten Sie diese Muschel.° Es ist die   mussel
gemeine Herzmuschel.° Ich trage immer eine mit mir.   cockle
Sie ist das Sinnbild des Meeres, die Quintessenz des
Wellenschlages. Aus dieser Form hat sich die griechische Kunst entwickelt. Griechenland! denkt man
unwillkürlich, nicht wahr? Oder hier, der Delphin
auf der Münze. Welch ein Geld! Welche Würde des
Geldes – das Wort stammt nicht von mir –, welch ein
Volk, das solche Münzen hatte! Sie trugen sie im
Mund, wenn sie zum Markte gingen! Und wir? Doch
ich schweife ab.

,Ist es derjenige welcher?'° fragte ich den Kellner.   Is he the one?
,Derjenige welcher', antwortete Apollo wie im
Traume.

Er hatte die Serviette in den Brustlatz seiner weißen
Schürze geschoben und stand, die Hände hinter seinem
Lüsterjäckchen verschränkt, anscheinend ganz un-
beteiligt in den Hoteleingang gelehnt.

Währenddem kam ein junger Bursche von höchstens
siebzehn Jahren munter des Weges geschritten, nur in
Hose und Hemd, die schwarze Ledertasche mit dem
silbernen Posthörnlein, das einer Brezel° glich, lässig   pretzel
umgehängt, die Amtsmütze flott ins wirre Haar
gesetzt. Übers ganze Gesicht, ja, mit dem ganzen
Körper lachend, kam er dahergeschlendert, ab und zu
in eine pralle, dunkle Traube beißend, daß ihm der Saft
von den Lippen troff, Häute und Kerne über die
Schulter spuckend.

Moira saß wieder auf der Mauer, zusammengekauert.
Sie spielte, als beachte sie ihn nicht, mit ihrem offenen
Haar und sah nach ihren Ziegen.

,Der tägliche Brief', sagte Chorillo, ,und immer die
gleiche Schrift.'

Er befühlte ihn und hielt ihn gegen die Sonne.
,Und stets nur ein leerer Umschlag.'

Er warf ihn dem Mädchen zu. Sie fing ihn auf und
zerriß ihn, ohne ihn zu öffnen, in kleine Stücke.

Ich durchschaute den Vorgang. Ich kannte einmal
in Prag ein Mädchen, das schrieb sich selber Briefe,
schickte sich Blumen und Pralinieren° ins Haus, damit   pralines
man denken sollte, sie hätte einen Freund. Und am
Ende heiratete sie den Postboten.

Sosehr ich es Moira nachfühlen konnte, daß sie in den Burschen vernarrt° war, sowenig wollte es mir gefallen, daß er sie so unzart vor uns bloßstellte.

in ... crazy about

‚Wie geht's, alte Fratze°', wandte sich Chorillo nun an den Kellner, ‚wie häßlich du doch bist, beinah zum Verlieben häßlich.'

mug

‚Chorillo, horch', sagte Apollo, ohne seine Haltung zu verändern.

Wieder hörte ich den klagenden, sehnsüchtigen Ton vom Meere her. Der Delphin brauste noch immer den Strand entlang, wendete,° sich überschlagend, daß man den weißen Bauch mit dem zartrosa Schimmer sah, und noch immer stieß er den Strahl zwischen den klugen Augen hervor.

= wandte

Chorillo lauschte und sah nach dem Meer wie verzaubert. Dann rief er durch die Muschel seiner Hände,° langgezogen: ‚Siiimo, Simo, ich komme.'

durch ... through his cupped hands

‚Geh nicht baden, Chorillo', bat Moira, ‚heute nicht! Mir zuliebe!'

‚Laß ihn doch, schöne Hirtin', warf ich ein, ‚schau, ich bin eigens von weither gekommen, um es zu sehen. Es wäre doch schade, wenn ich umsonst ...'

‚Da hörst du es', sagte Chorillo unwirsch,° ‚ich muß ja nun wohl. Ehrenhalber.'°

surlily
It's a point of honor.

‚Der Herr glaubt nur, was er sieht', murmelte anzüglich Apollo.

‚Und ich sehe nur, was ich glaube', antwortete Chorillo wieder lachend, nahm seine Postmütze ab und setzte sie dem Kellner auf, der sehr lächerlich damit aussah, hängte ihm auch die Tasche mit dem Hörnlein um, als wäre er ein Kleiderständer. Apollo ließ sich's gleichmütig gefallen. Aber ehe Chorillo sich zum Gehen wandte, nahm der Kellner rasch die Siphonflasche vom Tisch und spritzte dem Burschen einen Strahl ins Gesicht. Der machte ihm eine lange Nase° und lief hurtig zum Strand. Im Laufen schon begann er sich seiner Kleider zu entledigen.

thumbed his nose

‚Chorillo', rief ihm das Mädchen drohend nach, ‚du wirst dich noch erkälten, du wirst dir dabei noch den Tod holen, hörst du, den Tod! Ganz bestimmt!'

Sie wünschte es so sehr nicht, daß es fast klang, als wünsche sie es ihm.

,Halt den Mund, du Hexe', herrschte Apollo sie an, schneeweiß im Gesicht, ,scher dich zum Teufel.'

Er ging ins Haus, Chorillos Sachen zu verwahren. Der aber plätscherte gerade ins Wasser. Aufjauchzend warf er sich in die Brandung.

,Simo', rief er, ,komm, da bin ich, fang mich!'

Der Fisch, will sagen° der Delphin, rauschte heran.   **will ...** that is
Ich nahm meine Kamera und rannte zur Bucht hin- unter, wo inzwischen sich noch andere Burschen einge- funden hatten. Oh, es war wunderbar. Ich verknipste einen ganzen Film. Simo schlug vor Freuden förmlich Purzelbäume° um Chorillo, er lockte ihn mit Äolshar-   somersaults
fentönen,° lustig quirlte das Strählchen vor seiner   tones of an aeolian (wind) harp
gewölbten Stirn. Dann tauchte er unter dem Jüngling weg und hob ihn empor. Nun ritt er durch die Wogen. Sie scherzten miteinander.

Ich sah mich nach Moira um. Sie saß mit angezo- genen Knien, das Kinn auf die Fäuste gestützt, auf eine Strähne ihres Haares beißend und schaute nach ihrem braunen Geliebten, Unheil im Blick, totenblaß. Der Kellner Apollo stand hinter ihr, vorgeneigt, seine Serviette wringend.

Nun zischte der Delphin seinem Reiter einen Strahl mitten ins Gesicht. Der Fisch lachte. Ich lüge nicht. Es sah wirklich so aus. Er lachte übermütig wie ein Mensch.

Auch der Kellner lachte von Herzen. Er bog sich vor Vergnügen und drückte die Serviette vor den Mund. Sein runder Rücken schütterte. Dann schob er das Tuch in den Schürzenbund, machte ein paar Schritte vorwärts, ein paar Schritte zurück, die Arme gekrümmt mit gehobenen Ellenbogen, er tanzte, ein grotesker Anblick fürwahr, täppisch, servietten- geschwänzt, satyrhaft.

Moira war wütend. Sie stand nun wieder und stampf- te heftig mit dem Fuß auf. Sie drohte mit geballter Faust nach dem Meere.

Wenn ich eben sagte, der Delphin lachte wie ein Mensch, so blieb er doch in allem ein Tier. Doch sagt man, daß ja auch die Menschen von Fischen abstam- men. Beim Embryo sind die Kiemenspalten° noch   gill openings
nachweisbar.

Chorillo und der Delphin waren inzwischen hinter der Düne verschwunden, die der Bucht vorgelagert

ist. Ich trat zu Apollo, der wieder zur Terrasse zurück-
gekehrt war, der Gäste im Hause wegen. Er sagte
bitter: ‚Sie werden nun darüber in Ihrer Zeitung
schreiben, und alle Menschen werden es lesen und
werden es nicht glauben, ehe sie es mit eigenen
Augen gesehen haben. Sie werden in Scharen° auf die   mobs
Insel kommen.‘

‚Ich bringe ja die Bilder.‘

‚Ach, es gibt ja bekanntlich Gummitiere zum Aufblasen. Sehr naturgetreu, mit schwarzem Rücken und
weißem Bauch.‘ Er berührte obenhin Röckchen und
Schürze.

Ich war noch ganz aufgeregt von dem anmutigen
Schauspiel in der Bucht und lobte es laut.

‚Ich bitte Sie, lieber Herr‘, meinte Apollo finster,
‚schreiben Sie nichts davon in der Zeitung. Wenn es
nicht wahr gewesen wäre, hätten Sie doch auch nichts
berichten können, ich bitte Sie!‘

Er hob die Hände mit der Serviette zu einer rühren-
den Gebärde. Er hatte Tränen in den Augen.

Man könnte doch, versetzte ich, gerade aus einer
Nichtwahrheit eine sehr hübsche Glosse° machen.   hübsche ... humorous com-
                                                      mentary
Nun kam der Delphin mit Chorillo an Bord wieder
hinter der Insel hervor, die sie unseren Blicken für
eine Weile entzogen hatte. Sie waren sichtlich des
Spieles müde geworden und sahen abgekämpft aus.
Ganz langsam schwamm der Delphin. Chorillo,
vornübergesunken, umschlief° ihn. Der Fisch trug ihn   slept on
behutsam an Land. Chorillo stieg ab. Er streichelte die
Flanken des Tieres wie ein Reiter sein Pferd. Auf dem
Wege zu uns durch die Brandung plätschernd, wandte
er sich noch oft nach dem Freunde um und winkte
ihm zum Abschied. Simo, das Wasser mit der mond-
förmigen Schwanzflosse peitschend, entfernte sich in
großen Schleifen dem offenen Meere zu.

Es war vorüber, so bildete ich mir wenigstens ein.

Frohgelaunt und unbefangen, wenn auch etwas
weniger lebhaft als vorher und leicht fröstelnd von
dem langen Bad, trat der Postjunge von Anthos zu
uns auf die Terrasse des Hotels, um Mütze und Tasche
zu holen. Apollo, die Serviette im Brustlatz, humpelte
dienstfertig mit den Sachen herbei, aber es ritt ihn der
Teufel,° denn er begann nun den Burschen zu narren,   es ... he was full of the devil

er hielt ihm freundlich die Mütze hin, zog sie aber,
als der arglos danach griff, zurück und lief damit um
den Tisch herum davon, unbeholfen wie er war.
Chorillo tat mit. Er wußte, wie er den Kellner am
besten ärgern konnte. Er entriß ihm mit raschem Griff
das Tuch, die Seele riß er ihm gleichsam aus dem
Herzen, ließ es vor Apollos Nase flattern, der auf-
geschnupften, und trotzte seinerseits dem alten
Kindskopf.° fool

Mit verzerrtem Gesicht schaute Moira zu. Ich hatte
Apollo nicht soviel Behendigkeit zugetraut. Er
erhaschte Chorillo, dem es gerade noch gelang, die
Serviette zwischen die lachenden Zähne zu nehmen.
Apollo aber war nun am Ende seiner Kraft, er mußte
arg schnaufen. Er mußte sich setzen. Er legte die
Hand auf sein Herz.

‚Ätsch‘,° machte Chorillo und warf ihm die Serviette Ha, ha (*meaning* serves you right)
zu, während er ihm die Zunge herausstreckte.

In diesem Augenblick sprang Moira dazwischen,
fing das Tuch aus der Luft und riß es, wie ein Blitz die
Wolke, mitten entzwei.

‚Seid verflucht‘, schrie sie, die Hände krallend, als
wollte sie ihnen die Augen auskratzen, ‚seid verflucht,
dreimal verflucht!‘ Dabei warf sie jedbeiden° einen each of them
Fetzen vor die Füße.

Jetzt war es Zeit, daß ich mich ins Mittel legte.° **ins** … interposed
‚Aber, aber‘, sagte ich begütigend, ‚wer wird denn
gleich so eifersüchtig sein.‘ Auch Chorillo trat
gutherzig auf sie zu, um ihr schönzutun.° Sie stieß ihn to make up
zurück.

‚Geh weg, du riechst nach Fisch‘, rief sie nun
völlig außer sich, ‚sei verflucht!‘

Da wurde es dem Apollo zu dumm.° Mit einem Glas **zu** … too much
Wein in der Hand ging er langsam auf Moira zu.
Dann sagte er bedrohlich leise: ‚Nimm es zurück,
Moira, nimm den Fluch zurück, sofort, hörst du!‘

Sie verachtete ihn. ‚Nie!‘ rief sie, ‚du Schweinsfisch,
du Plattnase. Nie! Nie! Nie!‘ Da schwappte ihr Apollo
den Wein ins Gesicht. Ohne ihn abzuwischen flüsterte
sie: ‚… und du mit.‘ Dann ging sie ohne sich umzusehen
zwischen ihren Ziegen davon.

Apollo blickte mich vorwurfsvoll an, als wollte er
sagen, sehen Sie, nun ist es passiert. Habe ich es

nicht gleich gesagt! Er war völlig erschöpft. Er sah zum
Sterben müde und alt aus, während er den einen Fetzen
der Serviette auf dem Knie glattstrich. Er tat mir in der
Seele leid. Aber plötzlich nahm er sich zusammen.
‚Chorillo‘, stieß er hervor, mit einem Klagelaut nicht
von Menschenmund, ‚Chorillo, was ist dir?‘°

was ... what's the matter with you?

Chorillo hustete. Sein Gesicht und seine Hände
waren mondenbleich. ‚Ich weiß nicht‘, sagte er,
mühsam atmend, mit einem Versuch zu lächeln, ‚mir
wird so komisch auf einmal.‘ Er hüstelte wieder und
führte den anderen Fetzen der Serviette zum Munde.
‚Ich habe mich wohl etwas überanstrengt. Es ist Blut,
fürchte ich.‘ Er betrachtete verwundert das Tuch.
Das Fieber schüttelte ihn.

Ich lief ins Haus, meinen Mantel zu holen.

‚Er muß sofort ins Bett‘, rief ich, als ich wiederkam.
‚Er braucht einen Arzt.‘

‚Auf Anthos gibt es keinen Arzt‘, sagte Apollo und
nahm Chorillo ohne weiters° auf den Rücken. Der
Kranke ließ sich's willig gefallen.° Ich konnte und
wollte es nicht hindern. Auf dem Rücken trug ihn
Apollo ins Haus.‘‘

ohne ... immediately
ließ ... willingly submitted

Der Erzähler machte eine nachdenkliche Pause,
nicht allein um zu trinken, denn das tat er auch, wenn
nicht gerade vom Wein die Rede war, aber dann immer, sondern wohl um seinen Zuhörer in Spannung
zu halten, wie die Geschichte enden würde. Während
er sprach, nahm er unbewußt das Aussehen seiner
Gestalten an, ähnelte° dem Kellner Apollo, ja sogar
dem Delphin, sah bald alt, bald jung, bald gut oder
böse aus, darin dem Proteus verwandt, dem sterblich
geborenen Seegreis des griechischen Mythos, dem
Zauberer, Wahrsager und Tausendkünstler,° der sich
in allerlei Gestalten, in Tiere, Bäume, ja selbst in
Feuer und Wasser zu verwandeln wußte. Der Sage
nach soll er seinen Söhnen Tmolos und Telogenes,
zweien Riesen von unerhörter Grausamkeit, im Spiegel
erschienen sein und sie so in Erstaunen gesetzt haben,
daß sie künftig von ihrer Barbarei geheilt waren, der
Sage nach.

resembled

conjurer

In Erstaunen setzen, ist das nicht die Natur des
Poeten und also auch des sonderbaren Fremden
Auftrag?

„Ich pflege", fuhr dieser nach einer Weile mit
schwerer Zunge fort, „auf meinen Reisen eine wohlas-
sortierte Taschenapotheke mit mir zu führen und
verstehe mich ein wenig darauf, sie mit Erfolg anzuwenden. Schlaf, Ruhe schienen mir in Chorillos Fall
zunächst die besten Heilmittel, und auch Apollo
brauchte etwas für sein krankes Herz. Zu Bett gebracht, erholte sich unser junger Patient sichtlich und
schlief bald ein. –

Da es Abend geworden war, gelüstete es mich,°   I felt an urge
noch etwas ans Meer zu gehen. Ich fand es aufgeregter
als am Tage, unheimlich schwarz auf einmal und immer
wieder vergeblich bemüht, aufs Land zu kommen.
Wo mochte der Delphin sein? Ich hörte ihn. Bald nah,
bald fern vernahm ich seinen klagenden Ruf, aber ich
konnte ihn nicht sehen.

Also kehrte ich um und schlenderte durch die
kleine Stadt, mich ein bißchen umzuhören.° Ich erfuhr,   to make inquiries
daß nach anfänglichem Entzücken der Bevölkerung
über das Wunder von der Freundschaft des Delphins
mit dem Jünglingsknaben – diesen Ausdruck ge-
brauchte Goethe irgendwo, der ja auch einmal von
diesem gesegneten Alter sagt: sie duften Jugend!° –   sie ... they have the fra-
die Stimmung allmählich umgeschlagen war. Man   grance of youth
nahm Ärgernis. Ich begegnete dem Priester des Ortes,
der sich bemüßigt fühlte, mit Rauchfäßchen° und   censers
Weihwasserwedel° eine kleine Prozession zum Strand   aspergills (for sprinkling
zu veranstalten, um das Meerungeheuer, so nannte er   holy water)
den unschuldigen Fisch, zu beschwören und dem
heidnischen Treiben in der Bucht ein frommes Ende
zu machen. Das mußte ich sehen.

Ich schloß mich dem Zuge an. Aber wir kamen zu
spät. Das Unheil war bereits geschehen. Der Delphin
mußte, ich kann mir's nicht anders denken, gespürt
haben, daß sein Spielgefährte krank sei. Er wollte zu
ihm und war auf Strand gelaufen. Wir hörten ihn
stöhnen und fanden ihn hilflos im noch heißen Sande
liegen, ein Messer in seinem Herzen, sich verblutend,
sterbend fanden wir ihn, nicht anders als ein Mensch
stirbt. Und ich sah etwas, in jener Nacht, was ich
meiner Lebtage nie vergessen werde, ich sah den Fisch
unter Schluchzen reichlich Tränen vergießen, ehe er
mit einem Seufzer verschied. Unsere Tränen, mein

Herr, sind eine Erinnerung an das Meer, aus dem auch
wir stammen.

Als der Fisch tot war, machten sich sofort Leute aus
Anthos daran,° ihn auszuschlachten. Die Leber des
Delphins gilt dort zu Lande als Heilmittel gegen die
Schwindsucht.° Angewidert verließ ich den Strand.
Was würde geschehen, wenn Chorillo den Tod des
Gespielen erfuhr, und der Kellner Apollo? Es war
nicht auszudenken.

machten ... immediately
began

consumption, tuberculosis

Da ich im Hause alles still fand, begab ich mich auf
mein Zimmer. Was hatte sich in diesen wenigen
Stunden meines Aufenthaltes auf der Insel ereignet!
Ich machte mir ernstliche Gedanken, ob nicht am
Ende doch meine sträfliche Neugier sollte schuld
gewesen sein, das Unheil heraufzubeschwören. Ich
konnte keine Ruhe finden.

Inzwischen war der Mond heraufgekommen. Ich
sah aus dem Fenster über den nun wieder menschen-
leeren Strand zum Meer, das mir ärmer geworden
schien ohne den Fisch mit seiner sonderlichen Liebe
zu einem Menschen, und der dafür gestorben war.

Vielleicht war ich doch ein wenig eingenickt,
gleichviel, ich hörte plötzlich Stimmen, Chorillos
Stimme meinte ich zu vernehmen und die des Kellners
Apollo, wenn mich nicht die Sinne täuschten.

‚Du bist noch gar nicht braun‘, hörte ich den Jüngling
sagen, ‚du warst wohl noch nicht viel in der Sonne?‘

‚Oh, ich denke doch‘, antwortete es freundlich,
‚ziemlich viel. Wollen wir nicht baden gehen?‘

‚Jetzt, mitten in der Nacht?‘ fragte Chorillo mit
einem Schauder.

‚Bei Mondenschein ist es am schönsten‘, entgegnete
der andere.

Ich beugte mich aus dem Fenster. Ich gewahrte
Chorillo in Begleitung eines fremden Mannes. Sie
waren beide nackt, Chorillo braun, der andere weiß,
leuchtend wie Marmor und herrlich wie ein Gott.

‚Wie heißt du‘, fragte der Postbote zutraulich.

‚Delphinios heiße ich‘, antwortete der Fremde.
Sie schritten selbfreund° dem Meere zu.“ — — —

like two friends

„Dies also“, schloß mein trunkener Gast, „dies
wäre meine Geschichte von Chorillo und dem Fisch.

Ich schenke sie Ihnen, wie gesagt",° lallte er. Dann   wie ... as I said
sank sein weinschweres Haupt ihm auf den Arm,
wobei er die Hand öffnete zu einer Schale, wie Bettler
tun, wenn sie um eine milde Gabe bitten. Er lebte ja
schließlich von seinen Geschichten.

FRAGEN

  1 Was sammelt der Fremde?

  2 Existiert Anthos oder ist das eine erfundene Insel?

  3 Wovon lebt der Gast?

  4 Was fiel dem Autor damals ein?

  5 Wer ist wohl „der wandernde Rhapsode?"

  6 Was bedeutet der Autor dem besorgten Ober?

  7 Von welchen berühmten Männern liest man hier?

  8 Warum mußte der Erzähler zur Insel Anthos?

  9 Auf wessen Ruf kommt der Delphin herbeigeschwommen?

10 Wohin bringt der Delphin seinen Freund?

11 Was beschließt der Journalist zu tun?

12 Was für ein Gesicht hatte der Kellner?

13 Womit war der Journalist bewaffnet, als er sich an einen Tisch setzte?

14 Wofür hält Apollo den Journalisten zunächst?

15 Welche Bitte richtet Apollo an den Journalisten?

16 Erklären Sie den Ausdruck „Warmblütler" — was für ein Tier ist das?

17 Aus welcher Form hat sich die griechische Kunst entwickelt?

18 Warum spielt Moira, als beachte sie Chorillo nicht?

19 Was wirft Chorillo dem Mädchen zu?

20 Welchen Ton hört man wieder?

21 Was will der Delphin?

22 Was prophezeit [sagt voraus] Moira?

23 Was tat der Delphin wie ein Mensch?

24 Was tat Apollo?

25 Warum sehen jetzt Chorillo und der Delphin abgekämpft aus?

26 Warum spricht man von Apollos Serviette wie von einer „Seele"?

27 Warum legt endlich Apollo die Hand auf sein Herz?

28 Was wirft Apollo der Hirtin ins Gesicht?

29 Welchen Ruf hört der Journalist wieder, als er ans Meer geht?

30 Wie nennt er den Delphin?

31 Was tut der Fisch schon wieder wie ein Mensch?

32 Warum kann der Journalist keine Ruhe finden?

33 Welche Stimmen glaubt er zu hören?

34 Wohin gingen die beiden?

35 Was hat die Phrase: „Vielleicht war ich doch ein wenig eingenickt" mit dem Ende der Geschichte zu tun?

MÜNDLICH-SCHRIFTLICHE ÜBUNGEN

1   Beginnen Sie mit dem Nebensatz!
    BEISPIEL: Die Welt kommt ganz von selbst zu einem, ob man will oder nicht. /
    Ob man will oder nicht, kommt die Welt ganz von selbst zu einem.

    a   Er war doch beklagenswert, obwohl er viel gereist war.
    b   Er schwimmt im Wasser, obwohl der Delphin kein Fisch ist.
    c   Er ist als orphisch zu bezeichnen, obwohl der Kellner kein Gott ist.

2   Ersetzen Sie den Ausdruck „etwas immer tun" mit „pflegen"+Infinitiv!
    BEISPIEL: Die jungen Burschen baden immer. / Die jungen Burschen pflegen
    zu baden.

    a   Der Kellner bringt immer den Wein.
    b   Ritten alle Postboten immer auf dem Fisch?
    c   Journalisten schreiben immer Aufsätze.

3   Indirekte Rede. Gebrauchen Sie „sagte man"!
    BEISPIEL: Der Delphin hat seinen Freund zu den Fischerdörfern gebracht. /
    Der Delphin, sagte man, habe seinen Freund zu den Fischerdörfern gebracht.

    a   Die Zeitung hat die neuesten Nachrichten gebracht.
    b   Der Journalist hat den Postboten nicht gekannt.
    c   Der Erzähler hat den Wein genossen.

4   Indirekte Rede. Beginnen Sie jeden Satz mit „Meine Gewährsleute sagten,
    daß ..."!
    BEISPIEL: Der Delphin hat sich mit Chorillo befreundet. / Meine Gewährs-
    leute sagten, daß der Delphin sich mit Chorillo befreundet habe.

    a   Die Hirtin hat viele Ziegen gehabt.
    b   Der Jüngling hat sich auf den Delphin gesetzt.
    c   Der Kellner hat einem Satyr geglichen.

5   Indirekte Rede. Beginnen Sie jeden Satz mit „Man sagte, daß ..."!
    BEISPIEL: Der Kellner ist ein guter Diener gewesen. / Man sagte, daß er ein
    guter Diener gewesen sei.

    a   Das Tier ist verspielt gewesen.
    b   Die Hirtin ist ihm böse gefolgt.
    c   Der Postbote ist schnell geritten.

6   Wortfolge. Beginnen Sie jeden Satz mit dem Akkusativobjekt!
    BEISPIEL: Sie bringt mir einen süßen Wein. / Einen süßen Wein bringt sie
    mir.

    a   Er hält eine schmutzige Serviette.
    b   Die Insel hat einen reizenden Namen.
    c   Ich hatte ein ganz neues Fernglas.

7 Kombinieren Sie mit „ohne ... zu"+Infinitiv!
   BEISPIEL: Er fing den Brief auf. Er öffnete ihn nicht. / Er fing den Brief
auf, ohne ihn zu öffnen.

  a Sie zerriß den Brief. Sie las ihn nicht.
  b Das glaubte ich. Ich sah es nicht.
  c Sie heiratete den Postboten. Sie kannte ihn nicht gut.

8 Kombinieren Sie die Sätze zu einem Konditionalsatz!
   BEISPIEL: Es ist nicht wahr gewesen. Sie haben auch nichts berichten können.
/ Wenn es nicht wahr gewesen wäre, hätten Sie auch nichts berichten können.

  a Er ist schneller gelaufen. Ich habe ihn nicht gefangen.
  b Ich habe die Geschichte zweimal gelesen. Ich habe sie besser verstanden.
  c Es hat keine Journalisten gegeben. Die Welt ist glücklicher geworden.

9 Ersetzen Sie den Ausdruck „auf keinen Gedanken kommen" mit „nichts ein-
fallen"+Dativobjekt!
   BEISPIEL: Der Postbote kam auf keinen Gedanken. / Nichts fiel dem Postboten ein.

  a Der Kellner kam auf keinen Gedanken.
  b Die Hirtin kam auf keinen Gedanken.
  c Die Kellner kamen auf keinen Gedanken.

10 Kombinieren Sie mit „daß"!
   BEISPIEL: Er ist durstig. Das sieht man ihm an. / Daß er durstig ist, das sieht
man ihm an.

  a Die Hirtin ist durstig. Das sieht man ihr an.
  b Der Journalist ist durstig. Das sieht man ihm an.
  c Die Journalisten sind durstig. Das sieht man ihnen an.

11 Kombinieren Sie mit „um ... zu"+Infinitiv!
   BEISPIEL: Er braucht den Wein. Er kann fabulieren. / Er braucht den Wein,
um fabulieren zu können.

  a Sie braucht den Text. Sie kann lesen.
  b Wir brauchen den Delphin. Wir können reiten.
  c Ich brauche ein Glas. Ich kann trinken.

12 Indirekte Rede. Beginnen Sie mit „der Sage nach"!
   BEISPIEL: Die Insel ist nicht von dieser Erde. / Der Sage nach, sei die Insel
nicht von dieser Erde.

  a Der Postbote ist nicht mehr am Leben.
  b Diese Leute sind schon tot.
  c Die Hirtin ist eine Göttin.

13 Kombinieren Sie mit „wenn ... auch"!
   BEISPIEL: Er war kein Flötenspieler. Er glich einem Künstler. / Wenn er auch
   kein Flötenspieler war, glich er einem Künstler.

   a Er war kein Dichter. Er glich einem Künstler.
   b Sie war keine Göttin. Sie glich einer Künstlerin.
   c Das Tier war kein Fisch. Er glich einem Delphin.

14 Kombinieren Sie!
   BEISPIEL: Ich mache einmal den Versuch. Ich stelle mir den Freund als
   Kellner vor. / Ich mache einmal den Versuch, mir den Freund als Kellner
   vorzustellen.

   a Sie machte einmal den Versuch. Sie stellte sich diese Persönlichkeit als
      Freundin vor.
   b Wir machen einmal den Versuch. Wir stellen uns den Postboten als Journali-
      sten vor.
   c Er macht einmal den Versuch. Er stellt sich den Delphin als Fisch vor.

15 Kombinieren Sie!
   BEISPIEL: Ich werde nicht müde. Ich lasse mir die Speisekarte erklären. / Ich
   werde nicht müde, mir die Speisekarte erklären zu lassen.

   a Wir werden nicht müde. Wir lassen uns den Brief erklären.
   b Er wird nicht müde. Er läßt sich ein Glas Wein bringen.
   c Sie wird nicht müde. Sie läßt sich eine Tasse Kaffee bringen.

16 Wortfolge. Lassen Sie „wenn" aus!
   BEISPIEL: Wir würden unglücklich sein, wenn es keine Journalisten gäbe. /
   Wir würden unglücklich sein, gäbe es keine Journalisten.

   a Er würde keine Geschichte schreiben, wenn es keine Delphine gäbe.
   b Die Herberge würde elend sein, wenn er nicht dabei wäre.
   c Der Tee würde ausgezeichnet schmecken, wenn er heiß wäre.

17 Bilden Sie Sätze mit „kommen" und dem Partizip Perfekt!
   BEISPIEL: Der Delphin schwimmt schnell. / Er kommt schnell geschwommen.

   a Die Möwe fliegt hoch.
   b Der Bursche schreitet rasch.
   c Die Soldaten marschieren hurtig.

18 Wortfolge. Beginnen Sie den Nebensatz mit „als"!
   BEISPIEL: Die Hirtin tat hochmütig. Sie beachtete ihn nicht. / Die Hirtin
   tat, als beachte sie ihn nicht.

   a Der Kellner tat hochmütig. Er bediente uns nicht.
   b Der Lehrer tat hochmütig. Er sah ihn nicht.
   c Die Göttin tat hochmütig. Sie schwamm ans Land.

19 Ersetzen Sie „können" mit „gelingen"!

    BEISPIEL: Der Bursche kann die Serviette erhaschen. / Es gelingt ihm, die Serviette zu erhaschen.

    a Die Hirtin konnte das Tuch nehmen.
    b Die Mädchen konnten den Fisch fangen.
    c Ich kann die Stimme erheben.

20 Kombinieren Sie mit „da"!

    BEISPIEL: Es war Abend geworden. Ich ging ans Meer. / Da es Abend geworden war, ging ich ans Meer.

    a Der Delphin war nicht zu sehen. Wir kehrten um.
    b Sie kamen zu spät. Das Unheil war bereits geschehen.
    c Ich fand im Hause alles still. Ich begab mich auf mein Zimmer.

21 Kombinieren Sie die Satzteile, um sinnvolle Sätze zu bilden! Ändern Sie die Wortfolge, wo es nötig ist!

a	Die Welt kommt ganz von selbst zu einem, ob	1 der Delphin ist kein Fisch.
b	Obwohl er viel gereist war,	2 er hatte die Serviette immer bei sich.
c	Er schwimmt im Wasser, aber	3 er war doch beklagenswert.
d	Obgleich der Kellner kein Gott ist,	4 als orphisch ist er zu bezeichnen.
		5 man will oder man will nicht.

HERMANN STAHL   DER **W**ELTRAUMFLIEGER IST STARTKLAR

SÄTZE ZUM VORSTUDIUM

1

Nur die draußen haben diese Ideen, noch aus der Zeit, als angefangen wurde und Hunde und Affen und was alles sonst noch hinausgeschleudert wurden und nicht mehr zurückkamen.

Only outsiders have these ideas, which have persisted from the time when it was just beginning, and dogs and monkeys and whatever else were hurled forth and didn't return.

2

Ich muß lachen, wenn ich an die Sensation denke, als die sie die Sache ansehen, wo nichts von Sensation dabei ist und alles nur Arbeit.

I have to laugh whenever I think of the sensation, which is what they consider the thing, when there's really nothing of a sensation to it and everything is only work.

3

Auf den dummen Dreh fiel ich nicht herein.

I wasn't taken in by [didn't fall into] that stupid trick.

4

Anhand dieser Auswertungsergebnisse Schulung auf breiteste Basis gestellt, Nummer eins potenziert mit nur zehntausend.

Based on the results of these evaluations, schooling on the widest basis is ordered; number one is the best out of ten thousand.

5

Künstlicher Schlaf in der Druckkammer, Aufwachen und Messung bis zum Erreichen der Vollaktivität—ich erreichte neue Bestzeiten.

Artificial sleep in the pressure chamber, awakening and measurement until the attainment of full activity—I set new time records.

6

Ich sah, daß das viele Licht meinen neben mir sitzenden Instruktoren und Regierungsvertretern die Augen entzündete, mir zwang es kein Blinzeln ab.

I saw that the amount of light was inflaming the eyes of the instructors and government representatives sitting near me, but it didn't force me to blink.

7

Ich hatte gesagt bekommen, daß jede Andeutung einer bejahenden Antwort die Wirkung verringern würde, also lächelte ich auch nicht.

I had been told that any hint of an affirmative answer would decrease the effect, so I didn't even smile.

8

Jede Frage ist ausgemerzt, jede Überlegung ist aufgehoben von dem vollkommenen Zusammenwirken der Apparaturen und meiner Reaktionen, die Apparaturen steuern mich, ich bin ihr Teil, darin liegt mein Sinn.

Every question has been erased, every consideration has been canceled by the perfect cooperation of the apparatus and my reactions; the apparatus directs me, I am part of it, that's the reason for my being.

ie Leute wissen nur alle nicht, daß gar nichts
dabei ist. Ich lasse mich in den Weltraum befördern,
gut, aber nur die tausend, die hier zum technischen und
wissenschaftlichen Personal gehören, mit den Hilfs-
diensten natürlich, nur die tausend wissen, daß nichts
dabei ist, weil der Start morgen schon zwanzig Mal
geprobt worden ist, und die tausend sind vereidigt°   sworn to secrecy
und schweigen. Wer lange genug hier im Kamp Dienst
macht, denkt sich nichts mehr dabei, nur die draußen
haben diese Ideen, noch aus der Zeit, als angefangen
wurde und Hunde und Affen und was alles sonst noch
hinausgeschleudert wurden und nicht mehr zurückkamen. Von den zwanzig Starts, die mit einem
Raketentyp ausgeführt wurden, sind die letzten sechzehn planmäßig verlaufen, alles streng geheim, die
ferngelenkten° Landungen haben geklappt, keine   remote-controlled
Versager mehr, keine Berechnungsfehler, also für
mich ist das morgen nichts mehr anderes als ein beliebiger Langstreckenflug, etwas länger natürlich, und
ich muß lachen, wenn ich an die Sensation denke, als
die sie die Sache ansehen, wo nichts von Sensation
dabei ist und alles nur Arbeit, anfangs reichlich anstrengend und unbequem, man gewöhnt sich daran,
ich fühle mich in der Druckkabine längst wie zuhause,
ich werde seit vier Monaten künstlich ernährt und
denke mir nichts mehr dabei, ich habe zehn Kilo°   10 kilograms (22 pounds)
Gewicht abgegeben und bin voll in Ordnung, Herz
und Kreislauf normal, alle Organe gesund bei ständiger
Kontrolle, ich bin genauso durch und durch kontrol-
liert und startklar wie mein Flugkörper.

„Was denken Sie jetzt?" fragte der Oberst-Arzt.
Was soll ich ihm schon antworten? Und er ist zufrieden, weil er sieht, daß mir nichts einfällt. Ich hatte
mich freiwillig gemeldet° wie die andern alle auch,   volunteered; **blieb ... got**
zuletzt blieb ich im feinsten Sieb hängen,° die Tests   through the final screening

73

ergaben, daß keiner weniger Phantasie hatte als ich,
das entschied. Sie prüften mich dann immer noch
wochenlang, und danach setzte die „a.-t."-Spezial-
schulung ein, außertechnisch, da machte ich das
Rennen wie im Schlaf. Sie hatten allerlei Tricks,
Zeitlupenaufnahmen° tierischer und menschlicher   slow-motion films
Angst, Vivisektionen mit Geschrei, das verging.
Todesnot mit Geräuschuntermalung, ich sagte mir,
was geht das mich an, und es ging mich nichts an,
sie brachten rührende und ganz harte Sachen, viel
härter und rührender als Kino war es nicht, ich
gähnte nur, Leid und Opfersinn und letzter Abschied
und stummes Sterben der Kreatur und sonstige
Gefühle, so stand es auf den Spulen, alles langweiliges
Zeug.° Und wieder die Fragen, Tag für Tag, wochen-   nonsense
und monatelang, aber dann sagten sie: „Er ist richtig",
und: „Stur° wie ein Stein ist der", und sie sagten,   hard, unyielding
aber das sollte ich nicht hören, ich sei sogar härter
als Stein. „Stein hat noch Geschichte" sagten sie, und
dann kam etwas, das ich nicht verstand: ich sei
vollkommen „enthistorisiert". Vollkommen, das war
die Masche,° mehr brauchte ich nicht, ich hatte meine   lucky break
Chancen. Nummer eins war ich, die andern waren
alle nach und nach durch die Siebe gefallen.
   „Warum haben Sie sich gemeldet, Nummer eins?"
Auf den dummen Dreh, nämlich zu antworten „Geld",
„Ehre", „Auszeichnungen", auf den fiel ich nicht
herein. Ich hatte irgendwie erfahren, daß diese
Antworten schlecht gewertet werden, ich weiß nicht
mehr wie. Wer so antwortet, kommt hier nicht ins
letzte Sieb, sie werten die Antwort „Geld, Ehre,
Ruhm" rückbezüglich, in punkto Phantasie. Einer,
der so antwortet, hat individualistische Mätzchen° im   nonsense (*pl.*)
Kopf, träumt. Ich träume niemals, ich existiere
gezielt.° Jedenfalls antwortete ich: „Ich weiß nicht,   I exist for the sake of the
warum ich mich gemeldet habe." Sie nickten und   target.
schrieben, die Aufnahmegeräte liefen wie jedesmal
und das Elektrokardiogramm machte seine Säge-
zacken° gleichmäßig wie gestern und morgen. „Aus   saw-tooth markings
Langeweile vielleicht", sagte ich noch, da erhellten
sich ihre Mienen, mir war keine bessere Antwort
eingefallen. Sie fragten: „Und was verstehen Sie unter
Langeweile?" Was soll ich auf sowas antworten?

Keine Ahnung. Ich sagte nichts. Einer sagte: „Hören Sie zu, Nummer eins – wenn Sie allein wären, massenhaft Geld in der Tasche hätten und einen Freiflugschein mit Ausreisegenehmigung° dazu, mit oder ohne Rückkehrweisung, was zu tun hätten Sie Lust, und wohin würden Sie wollen?"

Ich ließ mir diesen unmöglich auf einmal zu bewältigenden Satz in mundgerechte° Stücke schneiden und wußte keine Antwort. „Lust", hatte er gesagt, und das Wort kam mir irgendwie bekannt vor, ich versuchte dahinterzukommen, es ging nicht. Sie warteten. Ich merkte, daß es eine psychologische Schwerpunktfrage,° so nennen sie es, sein mußte, es war so still und sie starrten mich so an und lächelten freundlich. Da antwortete ich: „Keine Lust für irgendwo hin." Sie atmeten wieder und nickten. Einer klopfte mir auf die Schulter. „Na bitte",° sagte er. Sie nickten. „Er wird",° sagten sie. Einer flüsterte: „Anhand dieser Auswertungsergebnisse Schulung auf breiteste Basis gestellt, Nummer eins potenziert mit nur zehntausend, und in zwei Jahren ..." Sie nickten. „Die ganze Welt unser ...", verstand ich noch. Sie waren sehr freundlich.

Bewußtsein erinnerungsgereinigt, Emotionales ausgemerzt, so stand es auf meinen Testpapieren. Jetzt ließen sie mich manchmal sogar zusehen, wenn sie die ausfüllten. Ich konnte nicht viel davon lesen, in der Hauptsache waren es Zahlen, ich hatte keinen Schlüssel dafür. Ich fragte den Schreiber, was „Motionales" bedeute, er schüttelte den Kopf und sagte: „E", und wieder: „E"! Er sei doch keiner von den Oberst-Professoren, sagte er. Auch gut, mir konnte es egal sein. Meine Apparaturen, die kannte ich, jeden Hebelgriff im Schlaf. Und die Übungen zur Ausschaltung physischer Trägheitsmomente° hatte ich hinter mir. Künstlicher Schlaf in der Druckkammer, Aufwachen und Messung bis zum Erreichen der Vollaktivität – ich erreichte neue Bestzeiten.

So lernte ich auch den Satz von der ethischen Größe des Unternehmens X, für das ich geschult worden bin. Und den Satz von der welthistorischen Entwicklung, die damit vollzogen ist zum Wohle der Menschheit. Ich kann diesen Satz im Schlaf aufsagen. Vorhin brauchte ich ihn für die Pressekonferenz.

---

exit visa

bite-sized

crucial test question

All right; He'll do

moments of inertia

Alle waren lebhafter als sonst. Immerzu leuchteten
hinter der Glaswand meines Schlafraums rote, blaue
und gelbe Signallampen auf, und schon seit gestern
wechselten die Schichten° der Instruktoren, die hinter   shifts
der Glaswand wachen, alle zwei Stunden. Der Publi-
zitätsoffizier kam zu mir. Die Presse versammele sich
in Empfangshalle II, sagte er. Noch einmal las er mir
alle Sätze, die ich der Presse zu antworten hatte, einzeln
vor, und ich sprach sie ohne zu stocken nach. Ich
kannte sie längst auswendig. „Wir haben jede Zwi-
schenfrage° untersagt", sagte er. „Sollte trotzdem eine   interpolated (unscheduled)
gestellt werden, wie werden Sie reagieren, Nummer   question
eins? Werden Sie den Sinn der Frage zu ergründen
und entsprechend zu antworten versuchen?" Er sah
mich aus seinen rot geränderten Augen gespannt an.
Ich antwortete: „Ich werde keinen Sinn zu ergründen
versuchen, sondern eine nicht zugelassene Frage
überhören.°" Er nickte. Das rote Hauptsignal blinkte   ignore
auf. „Kommen Sie, Nummer eins." „Unerlaubte
Zwischenfragen könnten höchstens von ausländischen
Korrespondenten gestellt werden, etliche von ihnen
mußten zugelassen werden. Woran erkennen wir sie
sofort?" Wir waren auf dem Weg zur Empfangshalle.
Ich antwortete: „An uneinheitlicher Kleidung. Und
sie tragen Krawatten ..." Er nickte. „Ganz ausgezeichnet", sagte er. „Übrigens gleichen unsere Leute,
die zu ihrer Beschattung eingesetzt sind,° ihnen in der   die ... who are installed to
Kleidung, sogar im Aussehen. Aber von ihnen sind   shadow them
keine Zwischenfragen zu erwarten. Wiederholen Sie
stumm Ihre Sätze, Nummer eins", sagte er freundlich.
Das tat ich noch, als die Scheinwerfer das Podium
bestrahlten, auf dem ich zwischen Oberst-Arzt, techni-
schem und psychologischem Chefinstruktor und beiden
Regierungsvertretern saß. Die Scheinwerfer erzeugten
eine Lichtwand,° hinter der in für mich angenehmem   wall of light
Dämmer die Presseleute saßen. Ich lächelte nicht. Ich
sah über ihre Köpfe hinweg geradeaus und ließ mich
von ihren Blitzlichtern überschütten. Ich sah, daß das
viele Licht meinen neben mir sitzenden Instruktoren
und Regierungsvertretern die Augen entzündete, mir
zwang es kein Blinzeln ab. Der erste Regierungsvertreter sprach. Die Leute mit den Krawatten schrieben nur scheinbar mit, was er sagte, sie starrten mich

an. Der psychologische Chef-Instruktor erhob sich und stellte mich vor. Ich stand für eine Sekunde auf, blickte flüchtig zu ihnen hinab und setzte mich wieder, wir hatten es etwa zehnmal geübt. Von einem Blatt las der Chef-Instruktor meine Lebensdaten ab. Ich war infolge des Krieges vaterlos aufgewachsen, in einem entfernten kleinen Ort, meine technische Begabung war frühzeitig erkannt und ich auf die Hochschule geschickt worden, nun war ich der Stolz meiner Mutter, die in einer Eingabe° an die oberste Staats-führung gebeten hatte, mich für das Unternehmen X zu bestimmen. „Diese rührende Bitte einer einfachen Frau wird ihre Erfüllung finden", sagte der Chef-Instruktor. „Es können nunmehr Fragen gestellt werden."

    petition

Die Fragen wurden von unseren Leuten gestellt. Die andern starrten mich an, schrieben, starrten. Ich sagte meine Sätze im Stehen. Ich hatte den rechten Fuß etwas vorgeschoben, die linke Hand in die Hüfte gestemmt, ich blickte geradeaus, wie zuvor. Die Fragen kamen genau in der festgelegten Reihenfolge, und ich brauchte nur in eben dieser Reihenfolge zu antworten. Ich hatte gesagt bekommen, genaues Hinhören sei unnötig, und daran hielt ich mich. Ich sagte: „Ich habe mich freiwillig gemeldet, um der Ehre meines Landes zu dienen sowie der Entwicklung der Menschheitsgeschichte." Danach sagte ich: „Ich bin ein Mensch wie Sie alle. Die ethische Größe des Unternehmens, für das ich bestimmt wurde, ist mir bekannt." Und: „Ich weiß, daß ich die Ehre habe, eine neue Phase der Weltgeschichte einzuleiten." Ferner sagte ich: „Mein Einzelschicksal ist dabei unmaßgeb-lich.°" In diesem Augenblick sprang einer von den individualistisch Gekleideten auf und rief: „Glauben Sie, daß Sie lebend aus dem All zurückkommen?" Ich behielt meine lässige Haltung bei und schwieg, alles so, wie es mir gezeigt worden war. Ich hatte gesagt bekommen, daß jede Andeutung einer beja-henden Antwort die Wirkung verringern° würde, also lächelte ich auch nicht. Und ich hörte ihre Atemlosig-keit jenseits der Lichtwand und starrte den vorher mir gezeigten Punkt an. „Dient das Experiment wirklich nur friedlichen Zwecken?" rief der Fremde. Ich antwortete,

    inconsequential

    die ... decrease the effect

wobei ich den gelernten lässig-herablassenden° Tonfall, eigens für diese Antwort bestimmt, einsetzte: „Darauf zu antworten erübrigt sich° bei der Friedensliebe unseres Staates." Meine Begleiter nickten, die Tonkameras surrten. Der Chef-Instruktor erhob sich und sagte: „Wir sind in der Lage, diese Frage auch aus dem Munde der Mutter unseres Helden beantwortet zu hören!" Da erhob ich mich wieder, und eine einfach gekleidete grauhaarige Frau war da und stellte sich neben mich, sie umarmte mich und rief in den Saal: „So wahr ich seine Mutter bin – das Ziel seiner großen Tat ist ein friedliches!" Sie umarmte mich noch einmal, sie war viel kleiner als ich, „lächeln Sie* doch etwas stärker", flüsterte sie an meiner Schulter. Und ich lächelte. Unsere Presseleute warfen die Arme in die Luft und jubelten. Dann packten alle ihre Papiere und Kameras ein. Die Lichtwand verging.

Morgen starte ich. Die letzten sechzehn Starts sind planmäßig verlaufen, wurde mir gesagt. Alle geheim. Die ferngesteuerten Landungen verliefen fehlerfrei. Für mich ist es nichts anderes als ein beliebiger Langstreckenflug, etwas länger. Ich muß lachen, wenn ich an die Sensation denke, die sie aus der Sache machen. Ich bin gesund, durchorganisiert und durchkontrolliert, ich bin startklar wie mein Flugkörper. Es gibt in der Druckkabine keine Fragen. Jede Frage ist ausgemerzt, jede Überlegung ist aufgehoben von dem vollkommenen Zusammenwirken der Apparaturen und meiner Reaktionen, die Apparaturen steuern mich, ich bin ihr Teil, darin liegt mein Sinn, ich existiere gezielt, mehr brauche ich nicht zu wissen. Sie sei meine Mutter, rief die Grauhaarige. Mutter? Sollte ich das Wort einmal gekannt haben? Es ist ohne Bedeutung. Ich starte, morgen. Ich empfinde nichts. Ich komme zur Erde zurück. Auf diesem Fundamentalsatz steht die Schulung, der unterzogen zu werden ich gewürdigt wurde.

* Notice the formal pronoun, which a real mother would never use.

carelessly condescending

erübrigt ... is unnecessary

FRAGEN

1 Wohin läßt sich der Weltraumflieger befördern?
2 Warum ist nichts dabei?
3 Wieviele Starts wurden schon ausgeführt?
4 Wieviele Landungen haben schon geklappt?
5 Wie fühlt sich der Erzähler in der Druckkabine?
6 Warum hatte sich Nummer eins gemeldet?
7 Was stand auf den Testpapieren von Nummer eins?
8 Was kann Nummer eins im Schlaf aufsagen?
9 Was für Signallampen leuchteten hinter der Glaswand seines Schlafraums?
10 Was sprach Nummer eins ohne zu stocken nach?
11 Was hatte man bei der Pressekonferenz untersagt?
12 Wie sollte Nummer eins auf eine nicht zugelassene Frage reagieren?
13 Woran erkennt man ausländische Korrespondenten?
14 Wer stellte Nummer eins vor?
15 Was verstehen Sie unter „Unternehmen X"?
16 Warum hat sich Nummer eins freiwillig gemeldet?
17 Welchen Punkt starrte er an?
18 Was flüsterte seine grauhaarige „Mutter"?
19 Was ist dem Weltraumflieger ohne Bedeutung?
20 Ziehen Sie einen Vergleich zwischen der Lage des Fliegers und den Einwohnern eines totalen, absoluten Staates!

MÜNDLICH-SCHRIFTLICHE ÜBUNGEN

1 Für „fertig sein ... mit ..." setzen Sie die entsprechenden Formen von „hinter sich ... haben" ein!
   BEISPIEL: Ich bin mit meiner Arbeit nun fertig. / Ich habe meine Arbeit nun hinter mir.

   a Ich war mit den Übungen fertig.
   b Wir waren mit der Spezialschulung fertig.
   c Sie ist mit diesen Testpapieren fertig.
   d Er ist schon mit zwanzig Starts fertig.
   e Der Weltraumflieger ist mit dem Interview nun fertig.
   f Mit den ferngelenkten Landungen sind die Wissenschaftler längst fertig.

2 Beantworten Sie die Fragen mit „ja"! Anstatt Aktivsatz mit „man", gebrauchen Sie den entsprechenden Passivsatz!
   BEISPIELE: Singt man oft deutsche Lieder? / Ja, deutsche Lieder werden oft gesungen.
   Lernt man hier fleißig? / Ja, es wird hier fleißig gelernt.
   [Achtung! Bei Aktivsätzen, wo das direkte Objekt des Verbs fehlt, beginnt man den entsprechenden Passivsatz mit dem Subjekt „es".]

    a   Befördert man ihn in den Weltraum?
    b   Fängt man schon an?
    c   Beginnt man das Interview jetzt?
    d   Bringt man die Mutter aufs Podium?
    e   Wiederholt man die Sätze?
    f   Antwortet man, ohne zu denken?
    g   Untersagt man jede Zwischenfrage?
    h   Überhört man oft eine nicht zugelassene Frage?

3   Beantworten Sie die Fragen mit „ja"! Anstatt Passivsätze, gebrauchen Sie die entsprechenden Formen von „sich lassen"!

    BEISPIELE: Werden Sie von den Wissenschaftlern durchkontrolliert? / Ja, ich lasse mich von den Wissenschaftlern durchkontrollieren.

    Wird er mit dem Wagen zum Bahnhof gebracht? / Ja, er läßt sich mit dem Wagen zum Bahnhof bringen.

    a   Werden Sie in den Weltraum befördert?
    b   Wird er immer wieder getestet?
    c   Werden wir gründlich untersucht?
    d   Wird der Weltraumflieger von der „Mutter" umarmt?
    e   Werden Sie von den Presseleuten ausgefragt?
    f   Wird er künstlich ernährt?

4   Für „alles ist ..." setzen Sie „es handelt sich um ..." ein!

    BEISPIEL: Alles ist nur Schulung. / Es handelt sich nur um Schulung.

    a   Alles ist nur Geld.
    b   Alles ist nur Propaganda.
    c   Alles ist nur Theorie.
    d   Alles ist nur Politik.
    e   Alles ist nur Übung.

5   Für „gelingen" setzen Sie die entsprechende Form von „klappen" ein!

    BEISPIEL: Die Probe ist gelungen. / Die Probe hat geklappt.

    a   Die ferngelenkten Landungen sind gelungen.
    b   Das Interview mit der Presse ist gelungen.
    c   Das Ausmerzen vom Emotionellen ist gelungen.
    d   Der künstliche Schlaf in der Druckkabine ist gelungen.
    e   Die körperlichen und psychologischen Tests sind gelungen.

6   Bilden Sie Imperativsätze!

    BEISPIEL: Sie sollen nur unsere Fragen beantworten. / Beantworten Sie nur unsere Fragen!

    a   Sie sollen stärker lächeln.
    b   Sie sollen eine Weltraumreise machen.
    c   Sie sollen gezielt existieren.
    d   Sie sollen sich an die Druckkabine gewöhnen.
    e   Sie sollen sich in den Weltraum befördern lassen.

WERNER BERGENGRUEN   DER AUGENBLICK

SÄTZE ZUM VORSTUDIUM

1

Es scheint Augenblicke zu geben, in denen man das Haar zu erblicken meint, an dem eine winzige Zeitspanne lang das Geschick der Welt hing.

Es scheint Augenblicke zu geben, für den Miterlebenden wie für den Nachkostenden, in denen ein Blick in die Werkstätte der Weltgeschichte freisteht; vulgärer ausgedrückt, in denen man das Haar zu erblicken meint, an dem eine winzige Zeitspanne lang das Geschick der Welt hing — und damit unser aller Schicksal, weil ja immer eins aus dem anderen sich ableitet.

There appear to be moments in which one thinks he's seeing the hair by which for a tiny period of time the destiny of the world was hanging.

For the person who experiences them directly, as well as for him who recalls them later, there appear to be moments in which a peek into the workshop of world history is permitted; expressed more coarsely, in which one thinks he's seeing the hair by which for a tiny period of time the destiny of the world was hanging—and with this the fate of us all, because indeed one is always derived from [leads itself out of] the other.

2

Loison ließ aus sämtlichen im Ort selbst untergebrachten Regimentern die Grenadierkompagnien herausziehen, deren jedes Regiment eine hatte, und zu einer Wachtabteilung für den Kaiser zusammenfassen.

Loison had the grenadier companies—each regiment had one—of all regiments billeted in the town itself detached and formed into a guard detachment for the emperor.

3

Am Marktplatz lag das für den Aufenthalt des Kaisers bestimmte, vom Divisionsstab in Eile geräumte Haus.

The house, which had been designated for the use of the emperor during his stay and had been vacated hastily by the division staff, was situated on the market square.

4

Lapie vertraute darauf, der Gedanke werde kaum einen ungestreift gelassen haben.

Lapie was confident that hardly a man would be left untouched by the thought.

5

War alles verrichtet, so würde der größte Teil der Division, wo nicht die ganze, sich anschließen.

If everything was carried out, the largest part of the regiment, if not all of it, would follow along.

s scheint Augenblicke zu geben, für den Miterlebenden wie für den Nachkostenden, in denen ein
Blick in die Werkstätte der Weltgeschichte freisteht;
vulgärer ausgedrückt, in denen man das Haar zu
erblicken meint, an dem eine winzige Zeitspanne lang
das Geschick der Welt hing — und damit unser aller
Schicksal, weil ja immer eins aus dem anderen sich
ableitet. Der Geist der Begebenheiten° hält den Atem   events
an; es ist, als besinne er sich, fast schwankend, ehe er
ihrem Weitergange die Entscheidung vorschreibt.
Dann entschloß er sich, die Ereignisse sich so vollziehen
zu lassen, wie wir es aus der Weltgeschichte kennen;
damals jedoch hatte er, zum mindesten scheinweise,°   as it seems
noch die Freiheit, ihnen einen anderen, vielleicht den
entgegengesetzten Lauf zu geben.

Offiziere der napoleonischen Division Loison haben
später, als das keine Gefahr mehr hatte, einen Vorfall
solcher Art erzählt.

Am fünften Dezember 1812 übertrug der Kaiser den
Oberbefehl° seinem Schwager Murat und verließ die   supreme command
Armee in Richtung Oszmiany°-Paris. Oszmiany liegt   (town in western Russia)
südöstlich von Wilna.° Begleitet war er von Caulain-   (Vilna, capital of Lithuania)
court, Duroc und Mouton, die seit ein paar Jahren
Herzog von Vincenz, Herzog von Friaul und Graf
von Lobau hießen.

Eine knappe Stunde° vor ihm gelangte nach Oszmiany   **Eine ...** barely an hour
durch Estafette° ein Befehl, der ihn ankündigte und   (*Fr.*) relay
Vorsorge für Pferdewechsel und ein eiliges Frühstück
anordnete; im übrigen seien Umstände und Ehrener-
weisungen verboten. Es blieb kaum Zeit, die not-
wendigsten Maßnahmen zu treffen.

Im Ort lag die Division des Generals Loison. Über
Wilna aus Ostpreußen kommend, war sie tags zuvor
in Oszmiany eingetroffen. Sie hatte ein mühsames
Vorwärtskommen° gehabt, die Wilnaer Straße war   advance

bereits von rückwärts drängenden Menschenknäueln
verstopft. Die Division umfaßte sieben französische,
zwei neapolitanische und zehn rheinbündische°
Bataillone; diese setzten sich aus Thüringern, Anhaltern
und Frankfurtern° zusammen. Der letzte Rekrut wußte,
daß der Division kein anderes Schicksal bevorstehen
konnte als das, in den allgemeinen Untergang hin-
eingezogen zu werden; eine frische Truppe, würde
man sie den Russen als Nachhut° entgegenwerfen.

Loison ließ aus sämtlichen im Ort selbst untergebrachten Regimentern die Grenadierkompagnien
herausziehen, deren jedes Regiment eine hatte, und zu
einer Wachtabteilung für den Kaiser zusammenfassen.
An ihre Spitze stellte er Lapie, Major beim Stabe° des
hundertunddreizehnten französischen Linieninfanterie-
regiments, das übrigens fast ganz aus Piemontesen°
bestand.

Die Truppe sammelte sich auf dem Marktplatz.
Wie alles in diesem Lande war er leer und von unge-
heuerlicher Ausdehnung. An ihm lag das für den
Aufenthalt des Kaisers bestimmte, vom Divisionsstab
in Eile geräumte Haus. Es war, wiewohl einstöckig
und von Holz, das ansehnlichste des Ortes und hatte
ein Vordach, das auf vier hölzernen Säulen ruhte.

Drei Schlitten fuhren im Galopp vor. Die Grenadiere riefen: „Vive l'Empereur!"° Aber es kam dünn
heraus, denn nur in den ersten zwei Gliedern taten die
Leute richtig den Mund auf; auch von ihnen berühmten sich° einige nachher, sie hätten: „Vive l'Empereur
de la Russie!" gerufen.

Loisons Meldung unterbrach Napoleon brüsk.
„Scheren Sie sich° zur Vorpostenkette", sagte er.
„Wissen Sie nicht, daß Oberst Seslawin mit seinen
Partisanen bis hart an° den Südrand der Ortschaft
streift?"

Napoleon und seine Begleiter, fast unkenntlich unter
ihrem Pelzwerk,° verschwanden im Hause. Loison,
bleich im Gesicht, entfernte sich mit den Offizieren
seines Stabes. Die Mannschaften der Wachtabteilung
schlugen mit den Armen, um sich zu erwärmen;
vergebens, denn der bissige Frost hatte kein Erbarmen.

Die Offiziere traten zusammen. Lapie sah vom einen
zum andern. Dann sagte er mit gedämpfter Stimme,

Rhine Confederation

Thüringern ... men from Thuringia, Anhalt, and Frankfurt

rear guard

Major ... staff major

men from the Piedmont (Italians)

Long live the Emperor!

berühmten ... boasted

Scheren ... Be off with you

bis ... right up to

furs

doch so, daß seine Worte von der ganzen Gruppe
vernommen werden konnten: „Maintenant! Messieurs,
ce serait le moment!"° Now! Gentlemen, this is the moment

Jeder verstand ihn. Jeder wußte, welcher Augenblick gekommen war und welche Tat er verlangte;
und das, obgleich noch nie von einem solchen Augenblick und von einer solchen Tat die Rede gewesen
war, zum mindesten nicht in einem so großen Kreise.
Lapie vertraute darauf, der Gedanke werde kaum
einen ungestreift gelassen haben. Wer aber bisher weder
Gedanken noch Wort gewagt hatte, sah jetzt den Kaiser
westwärts jagen und die Armee — Trümmer und
Überreste — im Stich lassen.

„Dieser Mann hat es sich selbst zuzuschreiben°", to blame
sagte finster einer der Kompagniechefs. Sprach man
damals vom Kaiser, so wurde er als „cet homme"° this man
bezeichnet.

„Richtig, und das auch noch im besonderen", antwortete ein anderer. „Denn wenn er den General und
seinen Stab eingeladen hätte, mit ihm zu frühstücken,
wäre die Sache unmöglich."

„Und die Mannschaften?" fragte ein Piemontese.
„Werden sie uns folgen?"

„Sie zweifeln? Wie es heute steht, würde ich es mir
zutrauen, selbst die Garde in ein solches Unternehmen
zu führen."

Alle bestätigten, ein jeder° nach seinem Tempera- ein ... each one
ment. Sie berieten die Ausführung.

„Kann man uns kommen sehen?"

„Nein", sagte Lapie, der beim Divisionsstab zu
tun gehabt hatte. „Die Stube, in der gedeckt ist,° in ... where the table is set
liegt nach der Gartenseite."

„Und der Mameluck?°" Mameluke

„Wird im davorliegenden Zimmer sein und die Tür
bewachen. Auch dies Zimmer hat kein Fenster nach
unserer Seite."

„Was hat das Eßzimmer sonst noch für Ausgänge?"

„Einen rückwärtigen, wenn mir recht ist.° Er führt A rear exit, I believe.
auf den Korridor und von da zur Küche."

War alles verrichtet, so würde der größte Teil der
Division, wo nicht die ganze, sich anschließen. Drei
Trompeter mit weißen Tüchern nehmen zu Pferde die
Spitze.° Mit klingendem Spiel und fliegenden Fahnen lead

wird zu Seslawin marschiert. Das Kommando
führt zweckmäßigerweise einer von den deutschen
Herren. Er erklärt Seslawin, man stelle sich unter den
Befehl Kaiser Alexanders.

Es waren noch einige Einzelfragen zu lösen. Man
einigte sich auf folgenden Plan. Eine Kompagnie
dringt ins Haus, eine andere besetzt den rückwärtigen
Ausgang; dies jedoch erst im letzten Augenblick, da ihr
Anrücken° ja durchs Fenster wahrgenommen werden   approach
und cet homme und die Seinen zur Flucht veranlassen
könnte. Alles kommt darauf an, daß die Bewegungen
beider Kompagnien aufeinander abgestimmt sind.

Der Mameluck wird niedergestoßen, man ist im
Eßzimmer. Zwei Gruppen werfen sich sofort auf die
rückwärtige Zimmertür, niemand darf entkommen.
Von diesen Gruppen bleibt eine an der Innenseite
der Tür, die andere dringt weiter in den Korridor, um
etwa sich einmischende Leute, vielleicht von den
servierenden Ordonnanzen oder vom Küchenpersonal,
unschädlich zu machen. Hier, vor allem jedoch im
Eßzimmer, gilt der Grundsatz: wer Miene macht, sich
zu wehren, muß über die Klinge springen.°   über ... be put to the sword
„Und wer keine Gegenwehr versucht?"

Diese Frage, von einem neapolitanischen Unterleutnant vorgebracht, blieb unbeantwortet. Rasch
wurde gesagt: „Bajonett und Säbel sind die Waffen.
Pulver und Blei würden Alarm geben, überdies im
Zimmer die eignen Leute gefährden."

Vielleicht möchte mancher die Beratungen für
Zeitvergeudung° halten. Doch waren sie notwendig;   waste of time
nicht nur, weil jeder Umstand sorgfältig erwogen
sein wollte, sondern noch mehr, weil die Gedanken
der Männer Zeit haben mußten, sich an das Ungeheure
zu gewöhnen.

Bisher hatte es „man" geheißen. Jetzt war die Frage,
wer in Person die Handgriffe zu vollziehen hatte.

Lapie schlug den dienstältesten Kompagniechef
vor. Dies war Herr von Schallheim, Kapitän in
Sachsen-Weimarischen Diensten.

„Und Sie selbst, Herr Major, als der Urheber des
Anschlags?" fragte Schallheim betreten.°   embarrassed

„Es soll und muß ein Kompagniechef sein", antwortete Lapie. „Ich selbst befehlige keine Kompagnie

und habe daher keine Mannschaft, die ich genau
kenne und deren ich — und gar in einer solchen
Sache — so sicher sein könnte wie ein Kompagniechef
seiner Leute."

Während der Ratschlagung° hatte Schallheim nicht
widersprochen. Jetzt starrte er eine Weile in schweren
Gedanken auf den beschneiten Boden. Endlich sagte
er: „Was Sie von mir verlangen, meine Herren, das
ist ein Mord."

„Er hat Hunderttausende gemordet!" rief Lapie.

„Vielleicht sollten die Herren Kompagniechefs
losen°", bemerkte ein Premierleutnant.

„Wenn Herrn von Schallheims Gewissen für den
Vordereingang zu zart ist, könnte er das Haus von
rückwärts abriegeln", erklärte der Kapitän, der die
Grenadierkompagnie der Hundertdreizehner kommandierte, ein metzgerhaft° aussehender Mann mit
schwarzen, zusammengewachsenen Augenbrauen.

Schallheim verlangte schwankend, Napoleon und
seine Begleiter sollten gefangengenommen und den
Russen übergeben werden.

„Das ist zu gefährlich! Wer weiß, was geschieht,
bevor wir bei Seslawin sind."

„Und wenn sie sich wehren?"

„Dann gilt das Gesetz des Kampfes", entschied
Lapie. „Herr von Schallheim", fuhr er fort, „ich werde
Sie begleiten. Sie brauchen den Degen nur in der
Notwehr zu ziehen. Aber die beiden jungen Herren
werden sich der guten Sache nicht versagen!" Er
machte eine höfliche Handbewegung auf Schallheims
Kompagnieoffiziere zu.

Ohne Zögern erklärten beide sich bereit. Der eine
hatte einen älteren Bruder in preußischen Diensten
gehabt, der von Königsberg nach Rußland gegangen
war und jetzt drüben ein Regiment kommandierte.
Der andere war ein blutjunger Secondeleutnant mit
kalten Schwärmeraugen° und schmalen Lippen; er
gehörte zu den Leuten, die Napoleon Ideologen
nannte.

Lapie wandte sich an seinen Regimentskameraden,
den Kapitän mit den zusammengewachsenen Augenbrauen: „Und Sie, Kamerad? Wollen Sie das Haus von
der anderen Seite her in die Zange nehmen?°"

„An mir soll es nicht fehlen",° versetzte der Kapitän
lachend. „Gibt es vorn eine Stockung,° so dringe ich
von rückwärts ein und bringe die Sache zu Ende."

I'll be ready
stoppage

„Ist alles klar?" fragte Lapie. „Hat einer der Herren
noch eine Frage?"

In diesem Augenblick erschien Caulaincourt unter
dem Säulenvordach, ohne Kopfbedeckung, den Pelz
locker über die Schultern gehängt. Er klatschte laut
in die Hände und rief ungeduldig: „Eh bien! Pourquoi
ne partons-nous pas?"°

Well, why don't we leave?

Gleich darauf fuhren die Schlitten vor. Caulaincourt
eilte ins Haus zurück.

Die Offiziere liefen zu ihren Kompagnien und
Zügen, und während die Schlitten abfuhren, wurde
abermals: „Vive l'Empereur!" gerufen.

FRAGEN

1 Wann haben Offiziere der Division Loison diesen Vorfall erzählt?
2 Was übertrug der Kaiser seinem Schwager Murat?
3 Von wem wurde der Kaiser begleitet?
4 Wen kündigte der Befehl an?
5 Was ordnete der Befehl an?
6 Woher kam die Division Loison?
7 Wann war sie in Oszmiany eingetroffen?
8 Wieviele Bataillone umfaßte sie?
9 Gegen wen würde man sie entgegenwerfen?
10 Wen stellte der General Loison an die Spitze der Wachtabteilung?
11 Wo sammelte sich die Wachtabteilung?
12 Wie hatte der Divisionsstab das Haus geräumt?
13 Wie war das Haus?
14 Worauf ruhte das Vordach?
15 Wie fuhren die Schlitten?
16 Was riefen die Grenadiere?
17 Wie kam es heraus?
18 Warum waren Napoleon und seine Begleiter fast unkenntlich?
19 Warum schlugen die Mannschaften mit den Armen?
20 Wie sprach Lapie?
21 Was wollte man mit Napoleon machen?
22 Wen schlug Lapie vor?

23 Was sagte Herr von Schallheim dazu?
24 Wer erschien unter dem Säulenvordach?
25 Was tat er?
26 Was wurde abermals gerufen?
27 Warum hat man den Plan nicht ausgeführt?

MÜNDLICH-SCHRIFTLICHE ÜBUNGEN

1 Für „müssen" setzen Sie „brauchen" ein!
    BEISPIEL: Sie müssen den Offizier nur begrüßen. / Sie brauchen den Offizier
    nur zu begrüßen.

    a Sie müssen den Degen nur in der Notwehr ziehen.
    b Er muß den Soldaten den richtigen Befehl geben.
    c Du mußt das Buch nicht sofort zurückgeben.
    d Ich muß für Pferdewechsel und ein eiliges Frühstück sorgen.

2 Für „glauben, daß ..." setzen Sie „halten für" ein!
    BEISPIEL: Ich glaube, daß der Mann der Kaiser ist. / Ich halte den Mann
    für den Kaiser.

    a Ich glaube, daß der Mann Journalist ist.
    b Er glaubt, daß die Beratungen eine Zeitvergeudung bedeuten.
    c Glauben Sie, daß der Kampf verloren ist?
    d Wir glauben, daß der Plan zu gefährlich ist.

3 Bilden Sie Passivsätze ohne eigentliches (actual) Subjekt!
    BEISPIELE: Man antwortet nicht. / Es wird nicht geantwortet.
    Den ganzen Tag arbeitete man schwer. / Den ganzen Tag wurde schwer
    gearbeitet.

    a Man fuhr im Galopp vor.
    b Die ganze Nacht hindurch reitet man.
    c Man hat sehr laut gesungen.
    d Man ist die Straße entlang marschiert.
    e Bis hart an den Südrand hatte man gestreift.
    f Mit Gewalt dringt man ins Haus.
    g Von rückwärts wird man das Haus abriegeln.
    h Während der Ratschlagung hatte man dem Major nicht widersprochen.

4 Für „befehlen, daß" (oder „befehlen" mit Dativobjet+zu und Infinitiv) setzen
    Sie „lassen" ein!
    BEISPIELE: Er befiehlt, daß die Truppen ins Manöver ziehen sollten. / Er
    läßt die Truppen ins Manöver ziehen.

Er befahl dem Offizier, seinen Degen einzustecken. / Er ließ *den* Offizier seinen Degen einstecken.

a   Der Kaiser befahl, daß die drei Kompagnien herausziehen sollten.

b   Er befiehlt dem Kellner, ein Glas Wein zu bringen.

c   Man befahl dem Divisionsstab, das Haus in Eile zu räumen.

d   Der Offizier befiehlt der zweiten Gruppe, das Küchenpersonal unschädlich zu machen.

e   Napoleon befahl, daß sein Schwager Murat den Oberbefehl übernehmen sollte.

f   Er hat befohlen, daß man die Pferde wechseln und ein Frühstück anordnen sollte.

g   Lapie befahl dem Kapitän, das Haus von der anderen Seite her in die Zange zu nehmen.

5   Für „zusammengesetzt sein" setzen Sie „bestehen aus" ein!
     BEISPIEL: Die Armee ist aus dreitausend Mann zusammengesetzt. / Die Armee besteht aus dreitausend Mann.

a   Die Weltgeschichte ist aus winzigen Zeitspannen zusammengesetzt.

b   Aus fremden Bataillonen war das Regiment zusammengesetzt.

c   Die Wachtabteilung ist aus allen Grenadierkompagnien zusammengesetzt gewesen.

d   Die Bataillone sind aus Thüringern und Frankfurtern zusammengesetzt.

e   Die Division wird aus französischen, neapolitanischen und rheinbündischen Bataillonen zusammengesetzt sein.

6   Beantworten Sie folgende Fragen mit „Was ich ... ist ...."!
     BEISPIEL: Was trinken Sie nun? (Kaffee) / Was ich nun trinke, ist Kaffee.

a   Was verlangen Sie? (ein Mord)

b   Was wollen die Offiziere? (der Tod Napoleons)

c   Was steht der Division bevor? (der allgemeine Untergang)

d   Was will der Kaiser in Oszmiany? (ein Pferdewechsel und ein eiliges Frühstück)

e   Was schreien die Soldaten? („Lang lebe der Kaiser!")

f   Was beraten sie alle? (die Ausführung des Mordes)

g   Was brauchen Sie nur zu ziehen? (der Degen)

h   Was verlangt man? (eine große Tat)

7   Für „empfehlen" setzen Sie „vorschlagen" ein!
     BEISPIEL: Er empfiehlt einen Wahlkandidaten. / Er schlägt einen Wahlkandidaten vor.

a   Lapie empfiehlt einen Kompagniechef.

b   Ich empfehle den Major.

c   Wir empfehlen die Rekruten.

d   Er hat mir einen anderen Offizier empfohlen.

e Der deutsche Kommandeur wird es Seslawin empfehlen, sich unter den Befehl Kaiser Alexanders zu stellen.

f Es wurde empfohlen, daß zwei Gruppen sich auf die rückwärtige Zimmertür werfen.

g Ein blutjunger Leutnant war empfohlen worden.

h Man hatte den Offizieren einen kühnen Plan empfohlen.

URSULA RISSE–VON LEWINSKI   DAS BERGFEST
DER SCHIFFBRÜCHIGEN

SÄTZE ZUM VORSTUDIUM

1

So viele Meinungsverschiedenheiten späterhin auch wegen gewisser Einzelheiten, die das Bergfest betrafen, entstanden sein mögen — in einem Punkt stimmten die Aussagen aller Zeugen überein.

No matter how many differences of opinion may have arisen later about certain details concerning the mountain festival—the statements of all witnesses agreed in one point.

2

Seine Kameraden nannten ihn so — es ist wahrscheinlich, daß die Heimverwaltung ihn in ihren Listen unter einem sozusagen bürgerlichen Namen führte. Aber es ist durchaus zweifelhaft, ob sie sich deshalb in dem Glauben wiegen durfte, mit ihren Listen irgendwo anders als am Rande der von ihr gelenkten Existenzen zu stehen.

His comrades called him that—it is probable that those in charge of the home carried him on their lists under a so-called legal name. But it is quite doubtful whether the administration could delude itself that on its lists it came anywhere near to actualities as far as the men whom it oversaw were concerned.

3

In dieses so ganz zwecklos oder auch zum Selbstzweck gewordene Leben brach der Zettel ein.

The slip of paper intruded into this life which had become completely without purpose, even an end in itself.

4

Nach diesen Worten erhob sich unter den Greisen ein Gemurmel, das nicht erkennen ließ, ob es Zustimmung, Ablehnung oder Enttäuschung bedeutete; vielleicht gab es überhaupt keine einheitliche Meinung.

At these words a murmuring arose among the old men which did not reveal whether agreement, disagreement, or disappointment was indicated; maybe there was no general opinion at all.

5

Ich sehe durchaus nicht ein, sagte er, warum uns oder doch den meisten von uns das nicht zuzutrauen wäre, was die Sommergäste können.

6

Vielleicht würden sie um so schneller und fleißiger steigen, wenn sie mehr für ihre Mühe erwarten durften als Freude an ihrer Tätigkeit und den Blick über die Welt aus einer Höhe, die ihre Mitmenschen kleiner machte, als diese zu sein pflegen ... so dachten die Greise.

7

Der Zettel hing am Schwarzen Brett, und da es noch immer Erbsensuppe gegeben hat, wenn durch das Schwarze Brett bekanntgemacht worden ist, es werde sie geben, so glaubst du, daß hier keine Unwahrheit verkündet werde.

8

Pudding, der sich im Hinblick auf seine unzulängliche körperliche Verfassung für von dem Fest ausgeschlossen halten mochte, so daß er wohl von dem Wunsch erfüllt war, seine Kameraden ebenfalls in Zweifel verstrickt zu sehen, schwieg einen Augenblick.

9

Vielleicht hatte er die Antwort erwartet, das Papier sei nicht unterzeichnet, oder es enthalte nur einen wenig lesbaren, also mancherlei Deutungen zulassenden Namenszug.

10

Sicherlich waren sie alle Anwärter auf das Fest in der Makaberhütte, ein Fest also, von dem nach der Ankündigung mancherlei zu erwarten war.

11

Doch regte sich schon in jedem von ihnen neben der Furcht, nicht zu bestehen, der Neid auf den einen, dem es

He said, "I don't see at all why we, or at least most of us, couldn't be expected to do what the summer guests can."

Perhaps they would climb even more quickly and diligently if they might expect more for their efforts than the joy of accomplishment and the view of the world from a height which made their fellow men smaller than they usually are ... these were the thoughts of the old men.

The notice was on the bulletin board, and since there has always been pea soup if it was announced on the bulletin board, you believe that no untruth is ever announced here.

Pudding, who, because of his inadequate physical constitution, might have considered himself excluded from the festival and who probably burned with a desire to see his comrades likewise ensnared in doubts, was silent for a moment.

Perhaps he had expected the answer that the paper was not signed, or that the signature was barely legible and hence open to several interpretations.

Certainly they were all candidates for the festival in the Makaber cabin, a festival from which indeed all kinds of things were to be expected.

Yet, besides the fear of not getting through, each one of them felt envy of the one who would succeed in being

gelingen würde, für den Rest seines
Lebens und darüber hinaus jeder Sorge
enthoben zu sein.

12

Während er angenommen hatte, man
werde nur da und dort Wegweiser
finden — und auch nur solche, die Sturm
oder menschliche Hände leicht zum
Stürzen bringen könnten — ergab es sich
nun, daß der von hunderttausend Füßen
vorgetretene Weg zu allem Überfluß
durch schwarze Kreuze gekennzeichnet
war.

relieved of all care for the rest of his
life and beyond.

While he had assumed that they would
find signposts only here and there—and
even then the kind that a storm or human
hands could easily knock over—it now
developed that the path previously
trodden by a hundred thousand feet was
overabundantly marked by black crosses.

So viele Meinungsverschiedenheiten späterhin auch wegen gewisser Einzelheiten, die das Bergfest betrafen, entstanden sein mögen — in einem Punkt stimmten die Aussagen aller Zeugen überein, daß nämlich Rattenzahn es gewesen war, der die Einladung entdeckt hatte. Er hatte selbst immer wieder erzählt, wie es dazu gekommen war ... ganz einfach und durchaus nichts zum Verwundern: Rattenzahn war in der Absicht, den Gemeinschaftsraum aufzusuchen, aus dem Zimmer, das er mit drei anderen Insassen des Altersheims teilte, die Treppe hinuntergegangen, und schon auf den letzten Stufen hatte er das Blatt gesehen, das da am Schwarzen Brett hing; Rattenzahn, der die Bekanntmachungen der Heimverwaltung° mit Sorgfalt zu studieren pflegte, hätte geschworen, daß es eine halbe Stunde zuvor noch nicht dort gewesen war. Er war sogleich nähergetreten und hatte zu lesen begonnen ... ja, so war das gewesen.

administration of the home

Rattenzahn hieß der Mann natürlich nicht; seine Kameraden nannten ihn so — es ist wahrscheinlich, daß die Heimverwaltung ihn in ihren Listen unter einem sozusagen bürgerlichen Namen führte, aber es ist durchaus zweifelhaft, ob sie sich deshalb in dem Glauben wiegen durfte, mit ihren Listen irgendwo anders als am Rande der von ihr gelenkten Existenzen zu stehen. Denn diese und die Heimverwaltung hatten sich auf einem Boden getroffen, der in seiner gläsernen° Unwirklichkeit das harte Auftreten nicht mehr vertrug. Ein Wort, das Kranich — gleichfalls einer der Bewohner dieser Insel verlöschender Talglichter° — einmal gebraucht hatte, spiegelt, wie man sich selber zu verstehen versuchte: „Wir sind ausgerissen, abgeschnitten, in einen Sack geworfen und hier ausgeschüttet worden. Das wächst nicht mehr zusammen."

transparent

tallow candles

97

Verständlich, daß die alten Männer, die ein Sturm
unbekannten Ursprungs an diesen Strand gespült
hatte, auch den Namen, die sie einmal getragen,°   = getragen hatten
keine Bedeutung mehr beilegten; sie suchten sich neue,
die sie aus allerlei Äußerlichkeiten ihrer Träger
bildeten; es gab einen, der Dromedar hieß, einen, den
sie Spechtnase nannten. So zerrissen sie jedes Band,
das sie mit dem Leben verknüpfte: nicht einmal das
Haus, in dem sie ihrem Ende zutrieben, entsprach
dem, was den Rest ihrer Wirklichkeit ausmachte — es
war früher ein prächtiges Hotel gewesen, aber nun
waren die Spiegel verblaßt, ihre goldene Lackierung
war abgeblättert,° und die Tapeten hingen in Fetzen   peeled off
von den Wänden. In den Zimmern dieses Hauses
wohnten sie, schliefen sie, aßen sie; manchmal, wenn
die Sonne schien, gingen einige von ihnen durch
den ungepflegten Garten, aber sie setzten sich bald
wieder auf die brüchigen° Bänke an der Hecke und   cracked
warteten.

In dieses so ganz zwecklos oder auch zum Selbstzweck gewordene Leben brach der Zettel ein, den
Rattenzahn entdeckt hatte; sie drängten sich vor dem
Schwarzen Brett, und jeder von ihnen wollte durchaus
selbst lesen, was da geschrieben stand, aber ihre Augen
waren schon zu schwach und ihre Brillen hatten sie
in der Aufregung wer weiß wo liegengelassen —
„vorlesen", riefen mehrere; „ja, einer soll vorlesen",
schrien andere. —

Rattenzahn trat an das Brett, und sogleich schwiegen
die alten Männer. „Dies hier", sagte er, mit der Hand
auf den Zettel weisend, „ist eine Einladung zum
Bergfest." Er versuchte, besonders deutlich zu
sprechen, was ihm nicht leicht fiel, da er außer den
Eckzähnen° keinen Zahn mehr besaß. Um den Zu-   eye teeth
hörenden nicht, während er den Inhalt der Einladung
bekanntgab, den Rücken zuwenden zu müssen, nahm
Rattenzahn nach seinen einleitenden Worten den Zettel
vom Brett.

„Eine Einladung also zum Bergfest", fuhr er fort.
„Für morgen ... Jeder hat das Recht, teilzunehmen,
keiner braucht etwas zu zahlen, Speisen und Getränke
sind umsonst° ... wer teilnehmen will, muß natürlich   free
zur Stelle sein ..."

„Wie denn nicht?"° riefen einige und lachten.

„Wo soll das Fest sein?" fragte Lichtekuppe.

„Zwischen elf Uhr am Morgen und fünf Uhr am Nachmittag ist alles frei", fuhr Rattenzahn fort. „Was meintest du soeben? Wo das Fest stattfindet? In der Makaberhütte."

Nach diesen Worten entstand allerlei Reden hin und her;° einige wußten offenbar nicht, wo die Hütte lag, und baten die anderen um Aufklärung. Rattenzahn hob die Hand.

„Noch eines",° sagte er. „Wer von den Insassen des Altersheims zuerst in der Hütte ankommt, erhält einen Preis, der ihn für den Rest seines Lebens und darüber hinaus jeder Sorge enthebt. Es darf aber keiner vor sieben Uhr aufbrechen."

„Die Makaberhütte", erklärte Kranich, „liegt nur wenig unterhalb der Makaberspitze. Die Makaberspitze ist der Berg, den man vom Garten aus sieht..." Kranich sprach langsam und jedes Wort pedantisch betonend; zugleich drehte er seinen langen Hals im Halbkreis, als ob er den Wunsch hätte, jeden seiner Zuhörer wenigstens für einen Augenblick anzusehen.

„Keiner von uns", fuhr er nach einer kleinen Pause fort, „ist in der Lage, diesen Berg zu ersteigen."

Nach diesen Worten erhob sich unter den Greisen ein Gemurmel, das nicht erkennen ließ, ob es Zustimmung, Ablehnung oder Enttäuschung bedeutete; vielleicht gab es auch überhaupt keine einheitliche Meinung.

„Du bist noch nicht oben gewesen", sagte einer, den sie Kräher nannten, „du bist noch nicht oben gewesen, also kannst du auch nicht wissen, wer von uns diesen Berg ersteigen wird und wer nicht ..."

„Keiner", unterbrach Kranich den Sprecher, „wird ihn ersteigen, habe ich gesagt."

„Auch das kannst du nicht wissen", erwiderte Kräher. „Die Sommergäste zum Beispiel ..."

Hier begann Kranich in seiner sonderbar haltlosen° Weise zu lachen, so daß Kräher darauf verzichtete, weitere Erklärungen über die Sommergäste abzugeben. Er schüttelte ärgerlich den Kopf, als wollte er andeuten, daß man mit einem so albernen Menschen nicht reden könne.

How else?

hin ... back and forth

Noch ... One thing more

uncontrolled

Kranichs Gelächter über Krähers Hinweis auf die
Sommergäste schien aber auch die anderen zu ver-
letzen, so daß alle ihn bösartig anblickten; dann griff
Rattenzahn das Gespräch wieder auf.

„Ich sehe durchaus nicht ein", sagte er, „warum
uns oder doch den meisten von uns das nicht zuzutrauen wäre, was die Sommergäste können."

„Die Sommergäste", erwiderte Kranich mit ernst-
haftem Gesicht, „sind Leute, die Zeit haben. Außerdem steigen sie auf den Berg, ohne an Lohn zu denken.
Aus Freude am Steigen, nicht wahr? Sie erwarten
nichts sonst ..."

Diese offensichtlich unsinnigen Worte erregten den
Spott der alten Männer. Als ob es von Bedeutung wäre,
daß die Sommergäste auf die Berge stiegen, ohne
an eine Vergütung zu denken — vielleicht würden sie
um so schneller° und fleißiger steigen, wenn sie mehr   um ... all the faster
für ihre Mühe erwarten durften als Freude an ihrer
Tätigkeit und den Blick über die Welt aus einer Höhe,
die ihre Mitmenschen kleiner machte, als diese zu
sein pflegen ... so dachten die Greise.

„Diese Sommergäste", sagte Rattenzahn, „sind
Faulpelze.° Sie sitzen das Jahr über° in ihren Sesseln   loafers; das ... the whole
und pflegen sich; wenn sie später hierherkommen, sind   year
sie schwammig und ersticken in ihrem Fett. Wir aber
haben unser Lebtag° gearbeitet, und unsere Knochen   unser ... all our lives
sind nicht geschont worden ... ich weiß nicht, wie
ihr über den Fall denkt, ich jedenfalls werde morgen
hinaufsteigen." — „Aber wie ist das?" fragte Pudding,
ein kleiner und offenbar an einer Drüsenerkrankung
leidender Mann. „Das ist ein Zettel, Rattenzahn, den
du gefunden hast — was ist schon ein Zettel? Er
enthält Worte ... nun, Worte können lügen — wer
sagt uns, daß sie es in diesem Falle nicht tun?"

„Aber der Zettel hing am Schwarzen Brett", riefen
einige.

Pudding hob die Hand. „Ich weiß", erwiderte er,
„der Zettel hing am Schwarzen Brett, und da es noch
immer Erbsensuppe gegeben hat, wenn durch das
Schwarze Brett bekanntgemacht worden ist, es werde
sie geben, so glaubst du, daß hier keine Unwahrheit
verkündet werde. Ich aber sage dir ..."

Pudding hatte bei den letzten Worten seine Stimme

zu einer Art pathetischer Deklamation erhoben, die
ihm jedoch plötzlich zu gewichtig vorkam — jedenfalls brach er an dieser Stelle mit verlegenem Lächeln
ab und fragte:

„Wer hat den Zettel unterzeichnet?"

Rattenzahn warf einen Blick auf das Papier in
seiner Hand:

„Der Arbeits- und Festausschuß°", erwiderte er.

Pudding, der sich im Hinblick auf seine unzulängliche körperliche Verfassung für von dem Fest
ausgeschlossen halten mochte, so daß er wohl von
dem Wunsch erfüllt war, seine Kameraden ebenfalls
in Zweifel verstrickt zu sehen, schwieg einen Augenblick, vielleicht hatte er die Antwort erwartet, das
Papier sei nicht unterzeichnet, oder es enthalte nur
einen wenig lesbaren, also mancherlei Deutungen
zulassenden Namenszug. Die großartige Anonymität
der Unterschrift, die Rattenzahn mit fast triumphie-
render Stimme verkündete, blieb ersichtlich nicht
ohne Eindruck auf Pudding; es klang nach Rückzug,
als er sagte:

„Man sollte den Heimvorsteher fragen."

„Wonach sollte man ihn fragen?" erkundigte sich
Rattenzahn.

„Ja, wonach sollte man ihn fragen?" riefen mehrere
der Greise.

„Wer dieser Arbeits- und Festausschuß ist", erwiderte Pudding. „Ja ... und was der Heimvorsteher
überhaupt von dem Unternehmen hält.°"

„Der Arbeits- und Festausschuß", bemerkte Kräher,
„ist eben der Arbeits- und Festausschuß — ich wüßte
nicht, was der Heimvorsteher darüber hinaus noch
sagen könnte. Und was er von dem Unternehmen
hält? Sind wir denn Kinder? Wir sind Männer, die
ihre Erfahrungen im Leben gemacht haben und die
sehr wohl schwarz von weiß unterscheiden können.
Der Heimvorsteher mag zu der Sache stehen, wie er
will, er hat mir nichts zu befehlen ...°"

Die meisten murmelten zustimmend, aber Pudding
sagte:

„Ich werde ihn dennoch fragen."

„Das ist deine Sache", erwiderte Rattenzahn.

Die Greise gingen auseinander; einige begaben sich

Arbeits- ... work and
entertainment committee

thinks (of)

hat ... can't order me (to
do) anything

in den Garten, um den Berg anzusehen, den sie morgen ersteigen würden. Die klare Luft des Abends hatte seine Spitze nahegerückt, so daß den alten Männern die Aufgabe, die vor ihnen lag, nicht als besonders schwierig erschien. Nach einiger Zeit trat Kräher zu ihnen:

„Ich war beim Verkehrsverein°", sagte er mit listigem Lächeln.

°tourist bureau

Die anderen blickten ihn erstaunt an. „Was hast du dort getan?" fragte einer.

„Es hängt da eine Karte im Fenster", erwiderte Kräher, „auf der der Anstieg zur Makaberhütte mit Punkten eingezeichnet ist. Ich habe den Weg auswendig gelernt."

„Aber es wird doch", sagte einer, „an den Abzweigungen Wegweiser geben.°"

Aber ... But after all there will be . . .

„Ich halte es für besser", entgegnete Kräher, „wenn man sein Wissen bei sich trägt. Diese Wegweiser ... vielleicht gibt es sie in der Tat, aber was wollt Ihr tun, wenn einer vor Euch hinaufsteigt, der sie entfernt oder umstellt? Ihr werdet Euch verlaufen, wenn Ihr es nicht vorzieht, umzukehren."

„Aber dies wäre doch ...", riefen die Männer.

„Ja, natürlich", entgegnete Kräher, „aber schließlich handelt es sich um eine Sache von Bedeutung, nicht wahr? In solchen Fällen geht mancher mit den Mitteln nicht allzu zart um."

Dieses Wort gab zu denken°; die alten Männer wurden unruhig, und einer nach dem anderen verließ den Garten, um die Karte anzusehen. Kräher setzte sich auf eine Bank und betrachtete den Berg; wer scharfe Augen hatte, konnte sogar die Hütte in der Senke° knapp unter dem Gipfel erkennen.

gab ... caused them to think

°depression

Bald danach betrat Pudding den Garten, er ging aber nur so hin und her, wobei er tat,° als ob Kräher nicht da wäre. Kräher beobachtete ihn eine Zeitlang, dann rief er: „Warst du beim Heimvorsteher, Pudding?"

wobei ... acting

„Der Heimvorsteher ist fortgefahren", sagte Pudding mürrisch. — „Vor morgen abend wird er nicht zurückkommen."

„Du mußt dich also ohne seine Mitwirkung entscheiden", erwiderte Kräher.

Pudding antwortete nicht, sondern wandte sich um und verließ den Garten.

Mit der sinkenden Dunkelheit gingen alle ins Haus; zunächst saßen sie in dem Raum, der ihnen zur gemeinsamen Einnahme der Mahlzeiten diente. Aber die Welt schien sich verändert zu haben; sicherlich waren sie alle Anwärter auf das Fest in der Makaberhütte, ein Fest also, von dem nach der Ankündigung mancherlei zu erwarten war, doch regte sich schon in jedem von ihnen neben der Furcht, nicht zu bestehen, der Neid auf den einen, dem es gelingen würde, „für den Rest seines Lebens und darüber hinaus jeder Sorge enthoben zu sein". Dies Gefühl hemmte alle Gespräche, es gab nur allerlei belangloses Gerede, und vor allem° vermieden die Greise es, von dem zu sprechen, was am nächsten Tag sein würde. Schließlich hatten sie einander nichts mehr zu sagen und bröckelten° auseinander, erst einzeln und später in Gruppen suchten sie die Zimmer auf, die sie zu vieren oder auch zu fünfen° bewohnten; lange vor der festgesetzten Zeit lag das Haus still und im Dunkel.

Der nächste Morgen jedoch brachte schon in der Frühe viel Geschäftigkeit; es war sonderbar, zu wie verschiedenartigen Veranstaltungen und Vorbereitungen etwas so durchaus Eindeutiges wie das Bergfest mit seinem Anstieg zur Makaberhütte die Greise brachte. Einige versahen sich mit warmen Jacken — da die Hütte ziemlich hoch liege, so meinten sie, werde man trotz der warmen Herbstsonne mit Kälte zu rechnen haben° — andere erklärten eine solche Befürchtung im Hinblick auf die körperliche Bewegung, die der Anstieg mit sich bringen werde, für unbegründet. Ähnliche Meinungsverschiedenheiten zeigten sich, wenn die Rede auf das Schuhwerk kam, auf den Proviant oder auf den Inhalt der Feldflasche;° im Grunde gab es nicht eine Frage, in der sie sich einig waren.°

Einige der Männer, die sich beim Anziehen besonders beeilt hatten, standen bereits eine Viertelstunde vor sieben im Hausflur; ungeduldig traten sie von einem Bein auf das andere.

„Wir sollten aufbrechen", sagte einer und öffnete die Türe; der kühle Wind strich in den Flur und bewegte die abgestandene Luft drinnen.

---

vor allem° — especially

bröckelten° — dispersed

zu ... — in (groups of) fours or even fives

mit ... — would have to count on its being cold

Feldflasche° — canteen

in ... — to which they all agreed

„Vor sieben Uhr", erwiderte ein anderer, „dürfen
wir nicht gehen. Rattenzahn hat es bekanntgegeben."

Der erste blickte hinaus. „Rattenzahn ...", sagte er.
„Hast du den Zettel gelesen, den er entdeckt hat?
Wer weiß, was darauf stand? Er hat sich wichtig
gemacht — als ob er selbst zum Ausschuß gehörte.
Aber wenn du es richtig nimmst — er ist nicht mehr
als wir auch ... einer von uns, ja, aber keiner über
uns ..."

Er machte Miene,° das Haus zu verlassen.

„Ordnung muß sein", antwortete der andere, „es
handelt sich nicht um Rattenzahn, sondern um die
Gleichheit ... keiner darf einen Vorsprung haben ...
wenn du zu früh aufbrächest, so würde ich selbst dich
beim Ausschuß anzeigen ..."

Der erste schloß die Türe und trat in den Flur
zurück.

„Immer dieselbe Leier",° erwiderte er, „was sagst
du da: keiner darf einen Vorsprung haben? Aber
wer kräftigere Beine besitzt als die anderen oder ein
stärkeres Herz, der hat einen Vorsprung, gegen den
nichts einzuwenden ist, wie?"

„Das ist nun einmal so",° sagte einer; seine Stimme
klang, als ob er die Antwort nicht als befriedigend
empfände, aber er wußte eben keine andere. In diesem
Augenblick betrat Rattenzahn den Flur: „Es ist in
wenigen Minuten sieben", sagte er. „Dann können
wir aufbrechen."

„Hier ist einer", erklärte Kräher, „der möchte gerne
einen kleinen Vorsprung haben."

„Vorsprung ist nicht erlaubt", erwiderte Rattenzahn. „Bei dem Fest heute sind alle gleich."

„Wer hat das bestimmt?" fragte der Mann an der
Türe.

„Der Ausschuß", antwortete Rattenzahn. „Warst
du nicht dabei, als ich gestern den Zettel vorlas?"

„Natürlich war ich dabei", sagte der andere. „Aber
sie sind ja gar nicht alle gleich, die hier stehen und
darauf warten, daß es sieben Uhr schlägt. Der eine
leidet am Rheumatismus, der zweite am Herzen, der
dritte hat steife Beine ..."

„Du möchtest Ansprüche stellen, wie?" fragte
Rattenzahn. „Aber wenn einer etwas geschenkt be-

machte ... looked as if he
would

Same old song

Well, that's the way it is.

kommt,° so hat er, finde ich, kein Recht, Bedingungen zu stellen ...“

„Was bekomme ich denn geschenkt?“ fragte der andere. „Einen steilen und ermüdenden Weg ... ich soll dafür wohl° noch dankbar sein ...?“

„Die Aussicht auf Sorglosigkeit bis an das Ende deiner Tage und darüber hinaus“, erwiderte Rattenzahn, „die wird dir geschenkt — vielleicht, wenn du sie erringst — und jedenfalls ein großes Fest ... Übrigens zwingt dich ja keiner, mitzugehen ...“

Er wartete nicht ab, ob der andere noch etwas erwidern würde, sondern wandte sich an die anderen: „Es ist soweit“,° sagte er, „wir wollen aufbrechen.“ Sogleich wurde die Türe von denen, die dort standen, aufgerissen, und der Strom hastiger Greise ergoß sich auf die Straße, Spülicht° eines enttäuschten Lebens, das es nicht über sich gewinnen kann, ohne Hoffnung zu sein. Indes Rattenzahn selbst die Straße betrat, sah er Kranich langsam vor sich hergehen.

„Nun“, fragte er, „auch du willst mitkommen? Ich hatte nach deinen Worten von gestern den Eindruck, daß du unser Beginnen für aussichtslos hältst.“

„Ich werde nicht hinaufzusteigen versuchen“, erwiderte Kranich. „Ich will nur ein Stück weit mitgehen.“

„Wie weit?“

„Bis ... bis sie sich zerfleischen werden.“

„Bis sie sich zerfleischen werden?“ fragte Rattenzahn. „Aber nein — dazu wird es nicht kommen.“

„Es wird dazu kommen“, erwiderte Kranich. „Aber es wird nicht dabei bleiben.“

Rattenzahn schüttelte den Kopf und ging schneller, da er sah, daß die Männer an der Spitze sich schon weit vor ihm befanden.

„Es ist ein Widersinn“, rief Kranich ihm nach, „ein Fest für alle mit einem Kampf gegen alle zu verbinden.“

Rattenzahn antwortete nicht; ein Mann, den er überholte, sagte: „Dieser Kranich ist ein Schädling, man sollte ihn verprügeln.“

Die letzten auf diesem Marsch trennte schon eine Stunde nach dem Aufbruch eine Entfernung von mehr als tausend Metern von der Spitze; was sie abhielt, den aussichtslosen Kampf um die Sorglosigkeit bis

etwas ... gets something as a gift

I suppose

Es ... It's time

dishwater

ans Ende ihrer Tage und noch darüber hinaus auf-
zugeben, war der Gedanke an das Fest in der Makaberhütte, bei dem jeder so viel essen und trinken
würde, wie ihm gefiel — wem das Glück sich entzieht,
der ist zufrieden, die Schleppe° seines Kleides berühren   train
zu dürfen.

Die Gruppe, die den Zug anführte, bestand aus
fünf Männern; einer von ihnen war Kräher, der am
Abend zuvor auf den Gedanken gekommen war, sich
die Theorie des Marschweges zu verschaffen. Er entdeckte jetzt, daß dies unnötig, ja eigentlich sogar
sinnlos gewesen war. Während er angenommen hatte,
man werde nur da und dort Wegweiser finden — und
auch nur solche, die Sturm oder menschliche Hände
leicht zum Stürzen bringen könnten —, ergab sich
nun, daß der von hunderttausend Füßen vorgetretene
Weg zu allem Überfluß durch schwarze Kreuze
gekennzeichnet war, die in ungeheurer Zahl auf
Baumstämme, Felswände oder auch einfach auf
größere Steinblöcke aufgemalt waren; man konnte
sich dem Eindruck nicht verschließen, daß dem Maler
ein übergroßer Topf schwarzer Farbe mitgegeben
worden war, den er durchaus über den Berg hin°   **durchaus** ... all over the
entleeren zu müssen geglaubt hatte. Dazu aber kam,   mountain
daß Kräher sich außerstande° sah, das Bild der Karte,   **unable**
soweit er es überhaupt noch im Kopfe trug, auf diese
gewaltige und trotz des kunstvollen Sonnenscheins die
immer wache Möglichkeit des Grauens andeutende
Wirklichkeit aufzulegen; Bild und Tat ließen sich nicht
decken.°   **ließen** ... couldn't be re-
                                                              conciled
Während der ersten halben Stunde des Anstiegs
war in der wahrhaft verlorenen Gruppe der fünf alten
Männer noch dann und wann ein Wort gesprochen
worden — kein unnötiges freilich, denn sie spürten,
daß der letzte Hauch ihres Atems irgendwann ihnen
vielleicht fehlen würde, und auch kein freundliches,
denn der Haß auf die unerahnte Zähigkeit der anderen
beseelte jeden von ihnen. Der Weg war schmal geworden; stieß einer an den anderen, was im Eifer des
Marsches über Stein und Fels oft genug geschah, so
gab es bösartiges Knurren oder häßliches Geschimpfe.
Später hörte auch das auf, und als sie nach zwei
Stunden die letzten verkümmerten Latschen° hinter   dwarf pines

sich gelassen hatten, und es nichts mehr um sie gab als
weißen Fels, hörte man nur noch den stoßweisen Atem
der Männer und das Schurren ihrer Stiefelsohlen auf
dem von Regen und Sonne zerfaserten Gestein. Sie
gingen mit hängenden Armen, ihre Blicke trafen den
Boden dort, wo in der nächsten Sekunde ihr Fuß nicht
etwa verweilen, sondern sogleich wieder fortge-
nommen werden würde — das Gleichmaß ihrer Bewegung, dies Schritt für Schritt zu einem kaum noch
geglaubten Ziele, höhlte ihnen Herz und Hirn, sinnlose
Roboter, Unmenschen, Knechte der Ananke,* des
ewigen Befehls. Kein Blick ging zurück in die Tiefe.

Um diese Zeit gelang es Kräher, einen Vorteil vor
den anderen zu erreichen. Dort, wo der Weg die Form
der Schlängellinie anzunehmen begann, entdeckte er
einen zwar steilen, aber kürzeren Durchstieg, der
gerade° verlief; ohne über die Möglichkeiten, die er   straight up
ihm bot, nachzudenken, ergriff er mit der Kraft des
plötzlichen Entschlusses die Kante eines Blocks und
schwang sich, nun mit Beinen und Armen weiter-
kletternd, nach oben. Er merkte sogleich, daß er sich
nun schon höher befand als die keuchende Gruppe, die
dem Serpentinenweg nach rechts hinüber° folgte; in   **nach ... over to the right**
dem Gefühl, daß die anderen, wenn sie, bei der
nächsten Biegung sich wendend, ihn vor sich sähen,
die kommende Niederlage empfinden, vielleicht sogar
in ihrem Eifer, zu folgen, nachlassen würden, in
diesem Gefühl raffte er seine Kräfte zusammen und
stieg, ohne die Verfolger auf dem ausgetretenen Pfad
zu beachten, den eigenen steilen Weg hinauf — zehn
Sekunden, zwanzig, dreißig, sechzig Sekunden lang ...
eine doppelte Ewigkeit in dem unendlichen Gebirge.
Dann aber mußte er stehenbleiben; sein Herz schlug so
heftig, daß er beim nächsten Schritt zusammenzu-
brechen fürchtete. Nun jedoch wandte er sich um,
und der Schrei des Triumphes durchfuhr ihn — auch
die anderen waren nicht weitergegangen, mit Gesichtern, verzerrt von Anstrengung, Enttäuschung
und Wut, standen sie drüben auf dem Schlängelweg
und blickten zu ihm hinauf; Kräher glaubte zu erkennen, daß ihnen der letzte Mut entfallen war ...
ich bin der Sieger, dachte er, sie erkennen mich an.

* Greek goddess of fate.

Aber das war ein Irrtum, die vielen Greise, die
Kräher überwunden glaubte, mochten unter dem
Schlage einer plötzlichen Erkenntnis geneigt sein,
ihr eine größere Bedeutung beizulegen, als verant-
wortet werden konnte,° doch dauerte dieser Zustand   **ihr** ... to give it greater sig-
nur kurze Zeit — vielleicht war ihnen eingefallen, daß   nificance than it deserved
man bis zur Hütte noch zwei Stunden zu gehen hatte
oder auch drei, da mochte der Vorsprung von einer
halben Minute wenig genug bedeuten. Sie senkten also
die Köpfe und stiegen weiter.

Die Einsicht, daß er noch nicht das Recht hatte,
sich als Sieger in diesem gewaltigen Kampfe zu
betrachten, ließ Krähers Mut schwanken, aber er
erwies sich als nicht weniger zäh denn die Verfolger —
die Wölfe, wie er sie nannte —, er überwand seine
Schwäche und kletterte weiter, wobei er mit List jene
gekürzten Wege zu benutzen versuchte, die es ihm
gestatteten, seinen Vorsprung zu erweitern. Dies gelang
ihm auch, aber es war nicht zu verkennen,° daß dieses   **es** ... it was unmistakable
Verfahren an seinen Kräften zehrte; manchmal er-
faßte ihn die Furcht, er werde schließlich doch am
Wege liegenbleiben, und seine Angst verstärkte sich,
wenn er sich nach den Wölfen umblickte; zwar befanden sie sich ziemlich weit hinter ihm, aber sie
stiegen mit großer Stetigkeit. Auch schien es Kräher,
als habe sich sein Vorsprung in der letzten Viertelstunde
nicht mehr vergrößert. Das Herz schlug ihm heftig.

Er erreichte, bald nach Ablauf der dritten Stunde
seit dem Aufbruch, eine Felswand, hinter der sich
ein steiles Geröllfeld° erstreckte; der Weg führte   field of boulders
immer weiter steigend quer über den Hang und war
noch schmaler als zuvor, ein Tritt zu weit nach rechts
mußte zum Absturz führen. Weil der Pfad an der
Felswand eine Biegung machte, konnte Kräher, als er
das Geröllfeld betrat, die Verfolger nicht mehr sehen
— er hastete weiter, zugleich bedrückte ihn der Gedanke, daß sie nun wahrscheinlich unbeobachtet von
ihm aus der Biegung um die Felswand auftauchen
würden, denn der Weg war zu schmal, als daß Kräher
es hätte wagen dürfen, sich im Gehen umzuwenden.
Das Gefühl, daß es dem Unheimlichen° gestattet sei,   eeriness
hinter seinem Rücken zu wachsen, vergrößerte seine
Unsicherheit; einmal stolperte er sogar, und es fehlte nur

wenig, so wäre er abgestürzt.° Und dann ereignete sich jener Vorfall, der für Sekunden sein Blut gerinnen ließ: zur Linken hörte er plötzlich weit über sich ein Geräusch, das wie ein Gemurmel klang, dann aber Gestalt gewann, Kräher blieb sogleich stehen und blickte hinauf. Da sah er sie herabkommen, drei, vier, fünf Steine, das Wort Lawine° fiel ihm ein, der Anprall, wenn mich einer trifft, wirft mich in die Tiefe, aber er vermochte nicht, sich zu rühren. Sie waren gnädig° und polterten vorbei, Steine mit Herz und Seele. Wer mag sie geworfen haben? dachte Kräher. Indes er hinaufblickte, um zu sehen, ob der Berg sich beruhigt habe, erblickte er zwei Gemsen,° da und dort setzten ihre leichten Hufe Steine in Bewegung, die im Fallen andere mit sich rissen.

Er begann sogleich weiterzusteigen, aber er verließ nun den Pfad, auf Händen und Füßen kletterte er die Geröllhalde hinauf, manchmal trat er Steine los, die polternd in die Tiefe jagten, es war, als ob das Geräusch ihn befriedigte, sein Gesicht verzog sich zu einem Grinsen. Nach einiger Zeit erreichte er einen ziemlich großen Block; indem er sich dagegenlehnte, merkte er, daß nicht viel Kraft dazu gehören würde, ihn zum Stürzen zu bringen.° Er legte sich dahinter und wartete, es war sehr einsam, die Sonne schien grell auf den weißen Fels. Unter dem Jäger lief, kaum zu erkennen, der Pfad, auf dem die Wölfe rennen würden, die Gemsen hatten sich verzogen, in der Ferne war das Dach der Makaberhütte zu sehen, Kräher blickte zu der Felswand hinüber. Es dauerte einige Zeit, dann kamen sie.

Sie erschienen, dicht hintereinandergehend, auf dem Geröllfeld, hier blieben sie einen Augenblick stehen und blickten den Pfad entlang, auch sprachen sie miteinander, offenbar wunderte es sie, daß sie Kräher nicht entdeckten, schließlich gingen sie weiter. Kräher glaubte zu erkennen, wie sehr sie ermüdet waren und unsicher, aber sie hatten es nicht aufgegeben, ihn zu verfolgen. Die Wölfe, dachte Kräher, die verfluchten Wölfe, und damit legte er sich gegen den Stein. Der Stein fiel, er riß hunderte mit auf seinem Wege, große und kleine Blöcke, es donnerte im Gebirge, wie wenn ein größerer ... Aber Kräher lag, den Kopf in den

---

es ... he barely managed to keep from falling

avalanche

merciful

chamois

nicht ... it wouldn't take much of a push to make it fall

Staub des Gesteins gepreßt, und sah sein Werk nicht
an — als er die Augen hob, war der Weg leer, die
Sonne schien grell auf den Fels, in der Ferne war das
Dach der Makaberhütte zu sehen — wie war es nur
möglich, daß die Welt sich nicht verändert hatte?

Kräher stand auf, er klopfte sogar den Staub des
Gesteins von der Jacke, dann kroch er vorsichtig über
die Halde hinab° zu dem schmalen Pfad. Der Weg zur   **über ... down over the**
Hütte war nicht zu verfehlen, der Maler hatte gut   slope
gearbeitet, überall auf den größeren Steinen hatte er
die schwarzen Kreuze angebracht.

Kräher erreichte die Hütte gegen Mittag; er war
zuletzt langsam gewandert und hatte sich häufig um-
gesehen, aber es war niemand mehr hinter ihm gewesen, es gab keinen Wolf, der ihn verfolgte, man
muß sich zu schützen wissen oder Schutz haben, die
toten Wölfe soll man achten. Er sah, daß niemand auf
dem Vorplatz zur Hütte stand, dies berührte ihn
sonderbar, wo befanden sich denn die Herren vom
Arbeits- und Festausschuß? Er empfand keine Reue,
eine Steinlawine hatte ein paar Greise getötet, die
ohnehin° bald gestorben wären, ob einer seine Zeit bei   anyway
Bewußtsein verbringt oder schlafend, ist bedeutungslos. Es ist überhaupt fraglich, ob es so etwas wie
Menschen gibt; Bewußtseine gibt es und dann noch
das, was unter ihnen liegt, als Ergebnis langen
Schlafs. Solche Dinge sterben weder, noch werden sie
geboren.

Nicht nur die Herren vom Arbeits- und Festausschuß
fehlten, Kräher vermißte auch den Hüttenwirt, wie
war das möglich, da doch eine Feier stattfinden sollte,
die Feier seines unter allerlei Opfern errungenen
Sieges, die Hütte war sogar verschlossen, und die
Schlagläden° hatte man von innen eingehängt, Kräher   storm shutters
rüttelte an ihnen, sie ließen sich nicht öffnen. Die Sonne
schien grell auf den weißen Fels, eine Dohle kreiste
über dem Dach und verschwand in der Ferne der
Makaberspitze.

Kräher verspürte Hunger; da er keinen Proviant
mitgenommen hatte, suchte er nach einem Zugang
in die Hütte, wo sich, wie er meinte, etwas Eßbares
vorfinden würde. Der Hüttenwirt war wohl° nur für   he supposed
einige Zeit fortgegangen. Wasser holen etwa oder

Kühe melken — schließlich fand er an der nach
rückwärts gelegenen Türe einen Zettel, der besagte,
die Hütte werde nur im Sommer bewirtschaftet, auch
der Tag, der nach der Zeitrechnung des Wirtes das
Ende des Sommers darstellte, war angegeben, Kräher
dachte nach, sieh da,° gestern. Gestern. Heute war   look
um einen Tag zu spät. Von Fest und Feier war keine
Rede. Das Ganze: nicht Traum noch Bild, nur ein
Betrug.

Der Greis, nun schon zu müde für jede Art von
Auflehnung, setzte sich vor der Hütte auf die Bank,
der Kopf sank ihm auf die Brust, dann schlief er ein.

Er erwachte viel später, Stunden mochten vergangen
sein, er wußte nicht, wie viele; es fror ihn, die Sonne
hatte es aufgegeben, den Fels zu bescheinen, der unter
den nebligen Wolken grau geworden war und nun
das Aussehen der Gegenstände angenommen hatte, die
keine Seele besitzen. Er sprang auf und machte sich
sogleich auf den Rückweg; als er den Schutz der Senke
verließ, faßte der Sturm ihn, und die Wolken be-
gannen von allen Seiten zu treiben, ohne Ziel und
Richtung, es sah aus, als ob sie aus den Felswänden
hervorbrächen. Eine Stunde danach setzte der Regen
ein, die Steine wurden glatt und schlüpfrig, in der
Dunkelheit verschwand der Weg mit den schwarzen
Kreuzen unter Augen und Füßen des Greises ...

Die Untersuchung der Ereignisse jenes Tages durch
die Behörden° ergab nichts, was den Fall aufklärte: authorities
durch den frevelhaften Scherz eines anonymen Täters
seien die Bewohner des Altersheimes, Leute ohne
eigenes Urteil, aber von einer fast unbegrenzten
Fähigkeit zum Glauben, in die Hoffnung versetzt
worden, daß ihnen auf der Makaberhütte ein Fest
bereitet sei, und daß einer von ihnen sogar die Möglichkeit erhalten werde, für den Rest des Lebens und noch
darüber hinaus jeder Sorge enthoben zu sein. Glücklicherweise seien die meisten, die den Weg angetreten,
rechtzeitig wieder umgekehrt, teils aus Erschöpfung,
teils auf Grund der wachsenden Einsicht in die
Unmöglichkeit ihres Unterfangens. Nur fünf von
ihnen seien weitergestiegen und an der gefährlichsten
Stelle ihres Weges, dem Steilhang etwa eine Stunde
unterhalb der Makaberhütte, abgestürzt. Der Absturz

sei wahrscheinlich durch Steinschlag, mit dem dort
immer gerechnet werden müsse, hervorgerufen°   caused
worden, doch könne hierüber nichts sicheres gesagt
werden.

Es läßt sich denken, daß zunächst über das Ereignis
noch viel gesprochen wurde, vor allem von den
Insassen des Heims. Doch später verblaßte die Erinnerung, und die jungen Leute, denen man von dem
Vorfall noch erzählte, lächelten; dergleichen, sagten
sie, könne ihnen nie und nimmer geschehen.

FRAGEN

1   Wer hatte die Einladung entdeckt?
2   Wo wohnten die Insassen?
3   Wo hatte Rattenzahn das Blatt entdeckt?
4   Was hatte Kranich einmal über die Bewohner des Heims gesagt?
5   Nennen Sie einige Namen der Insassen!
6   Was für ein Gebäude ist das Heim ursprünglich (originally) gewesen?
7   Wie sah das Heim aus?
8   Warum sollte man den Zettel vorlesen?
9   Warum fiel es dem Rattenzahn schwer, deutlich zu sprechen?
10 Wo sollte das Fest sein?
11 Was erhält der, der zuerst in der Hütte ankommt?
12 Wie sprach Kranich?
13 Warum glaubt er, daß keiner den Berg ersteigen kann?
14 Wie nennt Rattenzahn die Sommergäste?
15 Woran leidet Pudding?
16 Wen sollte man über die Wahrheit des Zettels fragen?
17 Wohin begaben sich einige der Greise?
18 Worauf ist der Anstieg zur Makaberhütte mit Punkten eingezeichnet?
19 Warum schien sich die Welt verändert zu haben?
20 Um wieviel Uhr darf man aufbrechen?
21 Wie weit wird Kranich mitgehen?
22 Aus wievielen Männern bestand die Gruppe, die den Zug anführte?
23 Wie war der Weg gekennzeichnet?
24 Wie sprach man während des Anstiegs?
25 Was gab es, wenn einer an den anderen stieß?
26 Wie erreichte Kräher einen Vorteil vor den anderen?
27 Wie nannte Kräher die anderen?
28 Wie schlug ihm das Herz?
29 Was für ein Geräusch hörte er?
30 Warum sah Kräher sein Werk nicht an?

31 Welche Personen fehlten vor der Hütte?
32 Wo suchte Kräher Proviant, als er Hunger verspürte?
33 Was fand er?
34 Wie findet er den Tod?
35 Wie kann man die Erzählung symbolisch interpretieren?

MÜNDLICH-SCHRIFTLICHE ÜBUNGEN

1 Verbinden Sie die Sätze, indem Sie mit „wer" anfangen!
BEISPIEL: Er will teilnehmen. Er muß zur Stelle sein. / Wer teilnehmen will,
muß zur Stelle sein.
a Er will zuerst ankommen. Er erhält einen Preis.
b Er kann die Hütte erkennen. Er hat scharfe Augen.
c Er soll einen Vorsprung haben. Er hat kräftige Beine.
d Er muß den Gemeinschaftsraum sofort betreten. Er hat Eile.

2 Bilden Sie einen Relativsatz!
BEISPIEL: Das war ein Fest. Mancherlei war zu erwarten. / Das war ein Fest,
von dem mancherlei zu erwarten war.
a Das war ein Vorfall. Mancherlei war zu erwarten.
b Das war eine Mahlzeit. Viel war zu erwarten.
c Das ist eine Idee. Mancherlei ist zu erwarten.
d Das ist eine Wahrheit. Wenig ist zu erwarten.

3 Verbinden Sie die Sätze, indem Sie den Nebensatz mit „was" fanangen!
BEISPIEL: Er sprach deutlich. Das fiel ihm nicht leicht. / Er sprach deutlich,
was ihm nicht leicht fiel.
a Sie sprach deutlich. Das fiel ihr nicht leicht.
b Sie sprachen deutlich. Das fiel ihnen nicht leicht.
c Wir sprechen undeutlich. Das fällt uns schwer.
d Ich spreche undeutlich. Das fällt mir schwer.

4 Ändern Sie den Satz, indem Sie mit „Es handelt sich um" anfangen!
BEISPIEL: Die Rede ist von einem Preis. / Es handelt sich um einen Preis.
a Die Rede ist von einem Zettel.
b Die Rede ist von einem Fest.
c Die Rede war von einer Vorstellung.
d Die Rede war von einem Glauben.

5 Lesen Sie den Satz mit einem Partizip Präsens um!
BEISPIEL: Man sieht den Zettel. Er hängt am Schwarzen Brett. / Man sieht
den am Schwarzen Brett hängenden Zettel.
a Man sieht den Garten. Er liegt auf dem Berg.
b Man sieht die Hütte. Sie liegt auf dem Berg.
c Man sieht das Buch. Es liegt auf dem Tisch.
d Wir sehen das Wort. Es steht an der Tafel.

6 Lesen Sie den Satz mit dem Partizip Perfekt als Adjektiv um!
   BEISPIEL: Sie lesen den Zettel. Rattenzahn hat den Zettel entdeckt. / Sie
   lesen den von Rattenzahn entdeckten Zettel.

   a Sie lesen den Text. Rattenzahn hat den Text entdeckt.
   b Sie lesen das Blatt. Rattenzahn hat das Blatt gefunden.
   c Sie lesen die Zeitung. Rattenzahn hat die Zeitung gekauft.
   d Sie sehen den Inhalt. Die Gruppe hat den Inhalt bestätigt.

7 Ändern Sie den Satz in eine indirekte Frage!
   BEISPIEL: Wo findet das Fest statt? / Sie fragen, wo das Fest stattfindet.

   a Wo findet die Mahlzeit statt?
   b Wann findet die Erzählung statt?
   c Wer kommt zuerst an?
   d Warum steht dieser Satz an der Tafel?

8 Ändern Sie den Satz, indem Sie „aus Freude am" statt „gern" verwenden!
   BEISPIEL: Man steigt gern. / Man steigt aus Freude am Steigen.

   a Man liest gern.
   b Er trinkt gern.
   c Sie essen gern.
   d Ich bestätige gern.

9 Lesen Sie den Satz um, indem Sie „Freude am (an) haben" verwenden!
   BEISPIEL: Ich freue mich über den Inhalt. / Ich habe Freude am Inhalt.

   a Ich freue mich über den Blick.
   b Ich freue mich über den Garten.
   c Er freut sich über das Bergfest.
   d Sie freut sich über die Aussicht.

10 Lesen Sie den Satz um, indem Sie „beim (bei)" verwenden!
   BEISPIEL: Er suchte den Greis auf. / Er war beim Greis.

   a Er suchte den Heimvorsteher auf.
   b Er suchte den Major auf.
   c Sie suchte die Dame auf.
   d Ich suche das Kind auf.

11 Setzen Sie den Satz in die Zukunft!
   BEISPIEL: Ich steige morgen hinauf. / Ich werde morgen hinaufsteigen.

   a Die Gruppe steigt morgen hinauf.
   b Wir kommen bald an.
   c Die Geschichte findet übermorgen statt.
   d Sie verkünden keine Unwahrheit.

12 Ändern Sie den Satz, indem Sie „betreten" verwenden!
    BEISPIEL: Einige begaben sich in den Garten. / Einige betraten den Garten.

  a Die Frau begab sich in den Saal.
  b Der Polizist begab sich in das Lokal.
  c Wir begeben uns in die Stube.
  d Er begibt sich in den Gemeinschaftsraum.

13 Ändern Sie den Satz, indem Sie „vom (von)" verwenden!
    BEISPIEL: Die Rede kam auf das Schuhwerk. / Die Rede war vom Schuhwerk.

  a Die Rede kam auf den Proviant.
  b Die Rede kam auf den Inhalt.
  c Die Rede kommt auf die Aussicht.
  d Die Rede kommt auf das Bergfest.

14 Lesen Sie den Satz um, indem Sie „möchte (n)" verwenden!
    BEISPIEL: Ich hätte gern einen Vorsprung. / Ich möchte gern einen Vorsprung haben.

  a Sie hätte gern einen Vorsprung.
  b Wir hätten gern ein Fest.
  c Hätten Sie gern eine Einladung?
  d Er hätte gern eine einheitliche Meinung.

15 Ändern Sie den Satz, indem Sie „bestehen" + „aus" + Dativ verwenden!
    BEISPIEL: Die Gruppe hatte fünf Männer. / Die Gruppe bestand aus fünf Männern.

  a Die Heimverwaltung hatte vier Männer.
  b Das Bataillon hatte drei Kompagnien.
  c Das Regiment hatte zwei Bataillone.
  d Die Division hatte drei Regimenter.

16 Lesen Sie den Satz um, indem Sie „gelingen" + Dativ + Infinitiv verwenden!
    BEISPIEL: Kräher erreicht einen Vorteil. / Es gelingt ihm, einen Vorteil zu erreichen.

  a Wir erreichen einen Vorteil.
  b Er liest den Text.
  c Sie las den Zettel.
  d Ich bestätige den Gedanken.

17 Lesen Sie den Satz um, indem Sie ihn nach folgendem Beispiel ändern!
    BEISPIEL: Sein Herz schlug heftig. / Ihm schlug das Herz heftig.

  a Mein Herz schlug heftig.
  b Ihr Herz schlug heftig.
  c Unser Herz schlägt heftig.
  d Dein Herz schlägt nicht heftig.

18 Lesen Sie den Satz um, indem Sie ihn nach folgendem Beispiel ändern!
    BEISPIEL: Der Alte muß die Felswand erreichen. / Der Alte hat die Felswand
    erreichen müssen.

   a   Wir müssen die Felswand erreichen.
   b   Die Alte soll die Felswand erreichen.
   c   Die Alten sollen die Felswand erreichen.
   d   Kann ich die Felswand erreichen?

RAINER MARIA RILKE   DIE TURNSTUNDE

SÄTZE ZUM VORSTUDIUM

1

Er geht rasch auf den leichten Schuhen, die mit Kolophonium isoliert sind. / Er geht rasch auf den mit Kolophonium isolierten Schuhen.

He is walking quickly with lightweight shoes [which have been] rubbed with rosin.

2

Manche Knaben zerstreuen sich, aber andere bleiben ein wenig verwirrt stehen.

Some of the boys disperse, but others stop, a little confused.

3

Karl, der sonst der Allerletzte blieb, erfaßt die nächste Stange.

Karl, who usually was last of all, grasps the nearest pole.

4

Die Uniformröcke waren an dem Platz, der zu ihrer Ablage geeignet war. / Die Uniformröcke waren an dem zu ihrer Ablage geeigneten Platz.

The uniform jackets were in the place that was designated for their storage.

5

Es gelingt ihm nicht, die Decke zu erreichen.

He doesn't succeed in reaching the ceiling.

6

Der Offizier scheint etwas sagen zu wollen.

The officer seems to want to say something.

7

Er bleibt an der Stange hängen.

He remains hanging from the pole.

8

Da fragt ihn der eine oder der andere der Kameraden, die ihm zunächst stehen. / Da fragt ihn der eine oder der andere der ihm zunächst stehenden Kameraden.

Then one or another of his comrades [who is] standing closest to him asks him.

9

Der Knabe, der neben ihm steht, fragt
ihn, was in ihn gefahren sei. / Der neben
ihm stehende Knabe fragt ihn, was in ihn
gefahren sei.

The boy [who is] standing beside him
asks him what's got into him.

10

„Was?" macht er mit seiner gewöhnlichen Stimme, die in Speichel watet. /
„Was?" macht er mit seiner gewöhnlichen, in Speichel watenden Stimme.

"What?" he says in his normal voice
[which is] bathed in saliva.

11

Er gleitet vom Sitz fort, als ob eine
Welle ihn trüge.

He slips off his seat as if a wave were
carrying him.

12

Und Jerome weiß erst, was geschieht,
als er hört, wie der Kopf Grubers hart
an das Holz des Sitzes prallt.

Jerome doesn't know what's happen-
ing until he hears Gruber's head strike
hard against the wooden seat.

13

Der Oberleutnant ruft herein, das
Turnen möge weitergehen.

The lieutenant calls [in] that the exercises should continue.

14

Alle Bewegungen sind doch anders,
als hätte ein Horchen sich über sie
gelegt.

Nevertheless all movements are different, as if someone were eavesdropping.

15

Mit unbeschreiblicher Geschwindigkeit findet sich alles in Reihe und Glied.

Everybody falls into rows and columns
with indescribable rapidity.

I n der Militärschule zu Sankt Severin. Turnsaal. Der Jahrgang° steht in den hellen Zwillichblusen,° in zwei Reihen geordnet, unter den großen Gaskronen.° Der Turnlehrer, ein junger Offizier mit hartem braunem Gesicht und höhnischen Augen, hat Freiübungen kommandiert und verteilt nun die Riegen.° „Erste Riege Reck,° zweite Riege Barren,° dritte Riege Bock,° vierte Riege Klettern! Abreten!" Und rasch, auf den leichten, mit Kolophonium isolierten Schuhen, zerstreuen sich die Knaben. Einige bleiben mitten im Saale stehen, zögern, gleichsam unwillig. Es ist die vierte Riege, die schlechten Turner, die keine Freude haben an der Bewegung bei den Geräten und schon müde sind von den zwanzig Kniebeugen und ein wenig verwirrt und atemlos.

Nur einer, der sonst der Allerletzte blieb bei solchen Anlässen, Karl Gruber, steht schon an den Kletterstangen, die in einer etwas dämmerigen Ecke des Saales, hart vor den Nischen, in denen die abgelegten Uniformröcke hängen, angebracht sind. Er hat die nächste Stange erfaßt und zieht sie mit ungewöhnlicher Kraft nach vorn, so daß sie frei an dem zur Übung geeigneten Platz schwankt. Gruber läßt nicht einmal° die Hände von ihr, er springt auf und bleibt, ziemlich hoch, die Beine ganz unwillkürlich im Kletterschluß verschränkt,° den er sonst niemals begreifen konnte, an der Stange hängen. So erwartet er die Riege und betrachtet — wie es scheint — mit besonderem Vergnügen den erstaunten Ärger des kleinen polnischen Unteroffiziers, der ihm zuruft, abzuspringen. Aber Gruber ist diesmal sogar ungehorsam, und Jastersky, der blonde Unteroffizier, schreit endlich: „Also, entweder Sie kommen herunter oder Sie klettern hinauf, Gruber! Sonst melde ich dem Herrn Oberleutnant ..." Und da beginnt Gruber zu klettern, erst

class; blouses made of ticking

gas lamps

squads
horizontal bar; parallel bars; vaulting-horse

does not even

im ... crossed in the climbing position

heftig mit Überstürzung,° die Beine wenig anziehend   haste
und die Blicke aufwärts gerichtet, mit einer gewissen
Angst das unermeßliche Stück Stange abschätzend,
das noch bevorsteht. Dann verlangsamt sich seine
Bewegung; und als ob er jeden Griff genösse,° wie   **als ob** ... as though he en-
etwas Neues, Angenehmes, zieht er sich höher, als   joyed each grip
man gewöhnlich zu klettern pflegt. Er beachtet nicht
die Aufregung des ohnehin gereizten° Unteroffiziers,   irritated
klettert und klettert, die Blicke immerfort aufwärts
gerichtet, als hätte er einen Ausweg in der Decke des
Saales entdeckt und strebte danach, ihn zu erreichen.
Die ganze Riege folgt ihm mit den Augen. Und auch
aus den anderen Riegen richtet man schon da und dort
die Aufmerksamkeit auf den Kletterer, der sonst
kaum das erste Dritteil der Stange keuchend, mit
rotem Gesicht und bösen° Augen erklomm. „Bravo,   angry
Gruber!" ruft jemand aus der ersten Riege herüber.
Da wenden viele ihre Blicke aufwärts, und es wird eine
Weile still im Saal — aber gerade in diesem Augenblick,
da alle Blicke an der Gestalt Grubers hängen, macht
er hoch oben unter der Decke eine Bewegung, als
wollte er sie° abschütteln; und da ihm das offenbar   = **die Blicke**
nicht gelingt, bindet er alle diese Blicke oben an den
nackten eisernen Haken° und saust die glatte Stange   hook
herunter, so daß alle immer noch hinaufsehen, als er
schon längst, schwindelnd und heiß, unten steht und
mit seltsam glanzlosen° Augen in seine glühenden   dull
Handflächen schaut. Da fragt ihn der eine oder der
andere der ihm zunächst stehenden Kameraden, was
denn heute in ihn gefahren sei. „Willst wohl in die
erste Riege kommen?" Gruber lacht und scheint etwas
antworten zu wollen, aber er überlegt es sich und
senkt schnell die Augen. Und dann, als das Geräusch
und Getöse wieder seinen Fortgang hat, zieht er sich
leise in die Nische zurück, setzt sich nieder, schaut
ängstlich um sich und holt Atem,° zweimal rasch, und   **holt** ... catches his breath
lacht wieder und will was sagen ... aber schon achtet
niemand mehr seiner. Nur Jerome, der auch in der
vierten Riege ist, sieht, daß er wieder seine Hände
betrachtet, ganz darübergebückt wie einer, der bei
wenig Licht einen Brief entziffern will. Und er tritt
nach einer Weile zu ihm hin und fragt: „Hast du dir
wehgetan?" Gruber erschrickt. „Was?" macht er mit

seiner gewöhnlichen, in Speichel watenden Stimme.
„Zeig mal!" Jerome nimmt die eine Hand Grubers
und neigt sie gegen das Licht. Sie ist am Ballen ein
wenig abgeschürft. „Weißt du, ich habe etwas dafür",
sagt Jerome, der immer Englisches Pflaster° von zu
Hause geschickt bekommt, „komm dann nachher zu
mir." Aber es ist, als hätte Gruber nicht gehört; er
schaut geradeaus in den Saal hinein, aber so, als sähe
er etwas Unbestimmtes, vielleicht nicht im Saal,
draußen vielleicht vor den Fenstern, obwohl es dunkel
ist, spät und Herbst.

    In diesem Augenblick schreit der Unteroffizier in
seiner hochfahrenden° Art: „Gruber!" Gruber bleibt
unverändert, nur seine Füße, die vor ihm ausgestreckt
sind, gleiten, steif und ungeschickt, ein wenig auf
dem glatten Parkett vorwärts. „Gruber!" brüllt der
Unteroffizier und die Stimme schlägt ihm über. Dann
wartet er eine Weile und sagt rasch und heiser, ohne
den Gerufenen anzusehen: „Sie melden sich nach der
Stunde. Ich werde Ihnen schon ... " Und die Stunde
geht weiter. „Gruber", sagt Jerome und neigt sich
zu dem Kameraden, der sich immer tiefer in die
Nische zurücklehnt, „es war schon wieder an dir,°
zu klettern, auf dem Strick, geh mal, versuch's, sonst
macht dir der Jastersky irgendeine Geschichte,°
weißt du ..." Gruber nickt. Aber statt aufzustehen,
schließt er plötzlich die Augen und gleitet unter den
Worten Jeromes durch, als ob eine Welle ihn trüge,
fort, gleitet langsam und lautlos tiefer, tiefer, gleitet
vom Sitz, und Jerome weiß erst, was geschieht, als er
hört, wie der Kopf Grubers hart an das Holz des
Sitzes prallt und dann vornüberfällt ... „Gruber!"
ruft er heiser. Erst merkt es niemand. Und Jerome
steht ratlos mit hängenden Händen und ruft: „Gruber,
Gruber!" Es fällt ihm nicht ein, den anderen aufzurich-
ten. Da erhält er einen Stoß, jemand sagt ihm: „Schaf",°
ein anderer schiebt ihn fort, und er sieht, wie sie den
Reglosen° aufheben.

    Sie tragen ihn vorbei, irgendwohin, wahrscheinlich
in die Kammer nebenan. Der Oberleutnant springt
herzu. Er gibt mit harter, lauter Stimme sehr kurze
Befehle. Sein Kommando schneidet das Summen der
vielen schwatzenden Knaben scharf ab. Stille. Man

Englisches ... adhesive tape

haughty

es ... it was your turn again

sonst ... otherwise Jaster-sky will make it tough for you

stupid

(the) motionless (one)

sieht nur da und dort noch Bewegungen, ein Aus-
schwingen am Gerät, einen leisen Absprung, ein
verspätetes Lachen von einem, der nicht weiß, um was
es sich handelt. Dann hastige Fragen: „Was? Was?
Wer? Der Gruber? Wo?" Und immer mehr Fragen.
Dann sagt jemand laut: „Ohnmächtig."° Und der   fainted
Zugführer Jastersky läuft mit rotem Kopf hinter dem
Oberleutnant her und schreit mit seiner boshaften°   malicious
Stimme, zitternd vor Wut: „Ein Simulant,° Herr   malingerer, faker
Oberleutnant, ein Simulant!" Der Oberleutnant
beachtet ihn gar nicht. Er sieht geradeaus, nagt an
seinem Schnurrbart, wodurch das harte Kinn noch
eckiger und energischer vortritt, und gibt von Zeit
zu Zeit eine knappe Weisung. Vier Zöglinge,° die   pupils
Gruber tragen, und der Oberleutnant verschwinden in
der Kammer. Gleich darauf kommen die vier Zöglinge
zurück. Ein Diener läuft durch den Saal. Die vier
werden groß angeschaut° und mit Fragen bedrängt:°   werden ... are searched
„Wie sieht er aus? Was ist mit ihm? Ist er schon zu   thoroughly with glances;
                                                        pressed
sich gekommen?" Keiner von ihnen weiß eigentlich
was.° Und da ruft auch schon der Oberleutnant herein, = etwas
das Turnen möge weitergehen, und übergibt dem
Feldwebel° Goldstein das Kommando. Also wird   sergeant
wieder geturnt, beim Barren, beim Reck, und die
kleinen dicken Leute der dritten Riege kriechen mit
weitgegrätschten° Beinen über den hohen Bock. Aber   widely straddled
doch sind alle Bewegungen anders als vorher; als
hätte ein Horchen sich über sie gelegt. Die Schwin-
gungen am Reck brechen so plötzlich ab, und am
Barren werden nur lauter kleine Übungen gemacht.
Die Stimmen sind weniger verworren, und ihre Summe
summt feiner, als ob alle immer nur ein Wort sagten:
„Ess, ess, ess ..." Der kleine schlaue° Krix horcht   crafty
inzwischen an der Kammertür. Der Unteroffizier der
zweiten Riege jagt ihn davon, indem er zu einem
Schlage auf seinen Hintern ausholt. Krix springt
zurück, katzenhaft, mit hinterlistig° blinzelnden Au- cunning
gen. Er weiß schon genug. Und nach einer Weile, als
ihn niemand betrachtet, gibt er dem Pawlowitsch
weiter: „Der Regimentsarzt ist gekommen." Nun,
man kennt ja den Pawlowitsch, mit seiner ganzen
Frechheit° geht er, als hätte ihm irgendwer einen   audacity
Befehl gegeben, quer durch den Saal von Riege zu

Riege und sagt ziemlich laut: „Der Regimentsarzt ist
drin.°" Und es scheint, auch die Unteroffiziere interes-   = darin
sieren sich für diese Nachricht.

Immer häufiger wenden sich die Blicke nach der
Tür, immer langsamer werden die Übungen; und ein
Kleiner mit schwarzen Augen ist oben auf dem Bock
hockengeblieben und starrt mit offenem Mund nach
der Kammer. Etwas Lähmendes scheint in der Luft zu
liegen. Die Stärksten bei der ersten Riege machen
zwar noch einige Anstrengungen, gehen dagegen an,
kreisen mit den Beinen; und Pombert, der kräftige
Tiroler, biegt seinen Arm und betrachtet seine
Muskeln, die sich durch den Zwillich hindurch breit
und straff ausprägen. Ja, der kleine, gelenkige Baum
schlägt sogar noch einige Armwellen° — und plötzlich   arm-swings (around the
ist diese heftige Bewegung die einzige im ganzen Saal,   horizontal bar)
ein großer flimmernder Kreis, der etwas Unheimliches
hat inmitten der allgemeinen Ruhe. Und mit einem
Ruck bringt sich der kleine Mensch zum Stehen, läßt
sich einfach unwillig in die Knie fallen und macht
ein Gesicht, als ob er alle verachte. Aber auch seine
kleinen stumpfen° Augen bleiben schließlich an der   dull
Kammertür hängen.

Jetzt hört man das Singen der Gasflammen und das
Gehen der Wanduhr. Und dann schnarrt die Glocke,
die das Stundenzeichen gibt. Fremd und eigentümlich ist heute ihr Ton; sie hört auch ganz unvermittelt
auf, unterbricht sich mitten im Wort. Feldwebel
Goldstein aber kennt seine Pflicht. Er ruft: „Antreten!"° Kein Mensch hört ihn. Keiner kann sich   Fall in!
erinnern, welchen Sinn dieses Wort besaß — vorher.
Wann vorher? „Antreten!" krächzt° der Feldwebel   croaks
böse, und gleich schreien jetzt die anderen Unteroffiziere ihm nach: „Antreten!" Und auch mancher
von den Zöglingen sagt wie zu sich selbst, wie im
Schlaf: „Antreten! Antreten!" Aber im Grunde wissen
alle, daß sie noch etwas abwarten müssen. Und da
geht auch schon die Kammertür auf; eine Weile
nichts; dann tritt Oberleutnant Wehl heraus, und seine
Augen sind groß und zornig und seine Schritte fest.
Er marschiert wie beim Defilieren° und sagt heiser: "pass in review"
„Antreten!" Mit unbeschreiblicher Geschwindigkeit
findet sich alles in Reihe und Glied. Keiner rührt sich.

Als wenn ein Feldzeugmeister° da wäre. Und jetzt   general
das Kommando: „Achtung!" Pause und dann, trocken
hart: „Euer Kamerad Gruber ist soeben gestorben.
Herzschlag. Abmarsch!" Pause.

Und erst nach einer Weile die Stimme des dienst-
tuenden Zöglings, klein und leise: „Links um!
Marschieren: Kompanie, Marsch!" Ohne Schritt und
langsam wendet sich der Jahrgang zur Tür. Jerome
als der letzte. Keiner sieht sich um. Die Luft aus dem
Gang kommt, kalt und dumpfig,° den Knaben ent-   musty
gegen. Einer meint, es rieche nach Karbol. Pombert
macht laut einen gemeinen Witz in bezug auf den
Gestank. Niemand lacht. Jerome fühlt sich plötzlich
am Arm gefaßt, so angesprungen. Krix hängt daran.
Seine Augen glänzen und seine Zähne schimmern, als
ob er beißen wollte. „Ich hab ihn gesehen", flüstert
er atemlos und preßt Jeromes Arm, und ein Lachen
ist innen in ihm und rüttelt ihn hin und her. Er kann
kaum weiter. „Ganz nackt ist er und eingefallen° und   shrunk
ganz lang. Und an den Fußsohlen ist er versiegelt ..."

Und dann kichert er, spitz und kitzlig,° kichert und   as if someone had tickled
beißt sich in den Ärmel Jeromes hinein.   him

FRAGEN

1   In welcher Schule findet diese Erzählung statt? (stattfinden = take place)
2   Wo steht der Jahrgang?
3   Wie steht er?
4   Wer ist der Turnlehrer?
5   Wie sieht er aus?
6   Was hat er eben kommandiert?
7   Wie viele Riegen gibt es?
8   Was für Schuhe tragen die Knaben?
9   Was ist mit der vierten Riege los?
10 Was macht Karl Gruber?
11 Wen ärgert er?
12 Was soll Gruber nach dem Befehl des Unteroffiziers tun?
13 Ist Gruber diesmal gehorsam?
14 Was für Haare hat der Unteroffizier Jastersky?
15 Was schreit er?
16 Was beginnt Gruber zu tun?
17 Was ruft jemand?
18 Wie wird es im Saal?
19 Wie kommt Gruber herunter?

20 Wohin zieht er sich zurück?
21 Was betrachtet er?
22 Wie sind seine Handflächen?
23 Was für eine Stimme hat Gruber?
24 Wie will Jerome dem Kameraden helfen?
25 Wohin schaut Gruber geradeaus?
26 In welcher Jahreszeit findet die Erzählung statt?
27 Welchen Namen schreit und brüllt der Unteroffizier?
28 Wie wird seine Stimme?
29 Wovon gleitet Gruber?
30 Wie steht Jerome?
31 Was fällt ihm nicht ein?
32 Was erhält er?
33 Wohin trägt man den reglosen Gruber?
34 Wer springt herzu?
35 Wie gibt er kurze Befehle?
36 Was herrscht im Saale?
37 Welche Fragen stellt man?
38 Was sagt Jastersky über Gruber?
39 Woran nagt der Oberleutnant?
40 Wer läuft durch den Saal?
41 Was für einen Befehl ruft da der Oberleutnant herein?
42 Wie wird jetzt geturnt?
43 Wer ist Pawlowitsch?
44 Was scheint in der Luft zu liegen?
45 Was betrachtet der Tiroler?
46 Welche Laute hört man?
47 Welchen Befehl ruft der Feldwebel Goldstein?
48 Wie sind die Augen des Oberleutnants, als er aus der Kammer heraustritt?
49 Welche Nachricht macht er bekannt?
50 Woran ist Gruber gestorben?
51 Wie kommt die Luft den Knaben entgegen?
52 Wonach riecht es?
53 Wie sieht Gruber nach Krix aus?

MÜNDLICH-SCHRIFTLICHE ÜBUNGEN
1 Verbinden Sie die Sätze, indem Sie nach folgendem Muster einen Relativsatz
   verwenden!
   BEISPIEL: Hans kommt schnell. Er blieb sonst der Allerletzte. / Hans, der
   sonst der Allerletzte blieb, kommt schnell.
   a Marie kommt schnell. Sie blieb sonst die Allerletzte.
   b Die Knaben kommen schnell. Sie blieben sonst die Allerletzten.
   c Ich komme schnell. Ich blieb sonst der Allerletzte.

2 Verbinden Sie folgende Sätze, indem Sie einen Infinitiv mit „zu" verwenden!
   BEISPIEL: Es gelingt ihm nicht. Er erreicht die Decke. / Es gelingt ihm nicht,
   die Decke zu erreichen.
   a Es gelingt der dritten Riege. Sie klettern auf den Bock.
   b Es gelingt uns. Wir folgen ihm mit den Augen.
   c Es gelingt dem Unteroffizier nicht. Er ruft den Befehl.

3 Indem Sie mit „obwohl" anfangen, verbinden Sie folgende Sätze!
   BEISPIEL: Es ist dunkel. Man kann in alle Ecken sehen. / Obwohl es dunkel
   ist, kann man in alle Ecken sehen.
   a Er geht auf leichten Schuhen. Man hört ihn doch.
   b Der eine Kamerad fragt. Er antwortet nichts.
   c Manche Knaben zerstreuen sich. Die meisten bleiben verwirrt.

4 Verbinden Sie folgende Sätze, indem Sie einen Konjunktivnebensatz mit „als"
   verwenden!
   BEISPIEL: Er klettert. Er hat einen Ausweg entdeckt. / Er klettert, als hätte
   er einen Ausweg entdeckt.
   a Er gleitet vom Sitz fort. Eine Welle hat ihn getragen.
   b Alle Bewegungen sind doch anders. Ein Horchen hat sich über sie gelegt.
   c Die Summe summt feiner. Alle haben nur ein Wort gesagt.

5 Verwenden Sie nach dem Muster ein Partizip Präsens!
   BEISPIEL: Der Knabe stirbt bald. Er heißt Gruber. / Der Sterbende heißt
   Gruber.
   a Der Kamerad stirbt bald. Er heißt Krix.
   b Die Jungen sterben bald. Sie heißen Jerome und Karl.
   c Die Dame stirbt bald. Sie hat keinen Namen.

6 Verwenden Sie das Substantiv an Stelle des Adjektives!
   BEISPIEL: Das war neu. / Es geschah etwas Neues.
   a Das war gut.
   b Das war angenehm.
   c Das ist unheimlich.

7 Verwenden Sie den Komparativ mit „immer"!
   BEISPIEL: Die Übungen werden langsam. / Sie werden immer langsamer.
   a Die Blicke wenden sich häufig.
   b Der Kamerad lehnt sich tief zurück.
   c Die Hirtin läuft schnell herum.

8 Verwenden Sie das Passiv!
   BEISPIEL: Man bedrängt die Knaben mit Fragen. / Die Knaben werden mit
   Fragen bedrängt.
   a Man schaut die Zöglinge scharf an.
   b Er liest den Text sorgfältig.
   c Man macht kleine Übungen.

9 Verwenden Sie das Substantiv an Stelle des Adjektives!
   BEISPIEL: Er ist reglos. / Man trägt den Reglosen.

a Der Knabe ist arbeitslos.
b Die Studentin ist schwatzhaft.
c Das Kind ist vaterlos.

WOLFDIETRICH SCHNURRE   DAS ANÖVER

SÄTZE ZUM VORSTUDIUM

1

Das Fahrzeug hielt am Rand eines kurzen, mit Ginster bestandenen Höhenzugs.

The vehicle halted at the edge of a short ridge covered with furze.

2

Die Gefechtsübungen sollten vornehmlich von Panzern und Infanterieeinheiten bestritten werden.

The combat exercises were to be conducted principally by tanks and infantry units.

3

Er wünschte, man möchte ihm anmerken, daß er dieses Manöver für eine Farce hielt.

He wanted them to notice from his attitude that he considered this maneuver a farce.

4

Allerlei mit Heide und Ginster bewachsene Hügel und Bodensenken würden es den Panzern nicht leicht machen.

All sorts of elevations and depressions overgrown with heather and furze would not make it easy for the tanks.

5

Lediglich die unruhig aufsteigenden Goldammerntrupps ließen vermuten, daß die Infanterie dort Stellung bezog.

Only the flocks of yellow-hammers, [which were] flying up uneasily, revealed that the infantry was going into position there.

6

Die in der Nähe der Gehöfte in Stellung gegangenen IGs und PAKs waren verschwunden.

The artillery and infantry weapons, which had occupied positions in the vicinity of the farms, had disappeared.

7

Dann erst ging Gruppe um Gruppe zum Angriff auf die einzelnen Panzer über, die sich nachhaltig, wenn auch etwas schwerfällig, zur Wehr setzten.

Not until then did squad after squad attack the individual tanks, which offered resistance effectively, even though somewhat ponderously.

8

Sie schienen die Offiziere ebenfalls für eine Schar durch die Schlacht in Mitleidenschaft gezogener Heidebewohner zu halten.

9

Doch wie sich gegen diese Flut von Sinnen gekommener Schafherden zur Wehr setzen?

10

Ihn sollte dieses Gewimmel dumpfer und nur ihrem Herdeninstinkt gehorchender Tiere der Lächerlichkeit preisgeben?

11

Der Wagen neigte sich etwas, und ehe noch der General und der Chauffeur sich hätten auf die entgegengesetzte Seite werfen können, stürzte er langsam um.

12

Brust und Vorderbeine des Tieres zitterten wie von einem im Innern laufenden Motor erschüttert.

13

Ganz plötzlich entstand nämlich inmitten der noch immer hektisch gegeneinander anbrandenden Herden so etwas wie eine Art ordnender Wirbel.

They appeared to take the officers for a herd of heath-dwellers who had also become involved in the battle.

Yet how could one defend oneself against this inundation of sheep bereft of their senses?

Should this swarm of dull-minded animals, heeding only their herding instinct, expose him to ridicule?

The jeep inclined a little, and even before the general and the driver could have hurled themselves to the opposite side, it overturned slowly.

The chest and forelegs of the animal were trembling as if agitated by a motor running inside.

Quite suddenly, as a matter of fact, something like a kind of orderly whirlpool arose in the midst of the herds [which were] still surging hectically against one another.

In Kürze schon konnte der Ordonnanzoffizier der Manöverleitung melden, daß sich kein menschliches Wesen mehr innerhalb der Sperrzone befand. Der General ordnete zwar noch einige Stichproben° an, doch seine Sorge erwies sich als unbegründet, jedes der untersuchten Gehöfte war leer, die Übung konnte beginnen.

Zuerst setzten sich die Geländewagen der Manöverleitung in Marsch, gefolgt von der Jeepkette° der Militärdelegationen. Den Abschluß bildete ein Sanitätsfahrzeug. Es herrschte strahlendes° Wetter; ein Bussardpaar kreiste vor der Sonne, Lerchen hingen über der Heide, und alle paar hundert Meter saß in den Büschen am Weg ein Raubwürger° oder stob leuchtend ein Goldammernschwarm ab. Die Herren waren blendender Laune.° Sie hatten nicht mehr lange zu fahren, eine dreiviertel Stunde vielleicht; dann bog das Fahrzeug des Generals, langsam von den andern gefolgt, vom Feldweg ab und hielt am Rand eines kurzen, mit Ginster bestandenen Höhenzugs. Hier war schon alles vorbereitet, eine Gulaschkanone° dampfte, Feldkabelleitungen waren gezogen, Klappstühle standen herum, und durch die aufgestellten Scherenfernrohre° konnte man weithin über die Ebene sehen.

Der General gab zunächst einen kurzen Aufriß der geplanten Gefechtsübungen; sie sollten vornehmlich von Panzern und Infanterieeinheiten bestritten werden. Der General war noch jung, Ende vierzig vielleicht, er sprach abgehackt, wegwerfend und in leicht ironischem Tonfall; er wünschte, man möchte ihm anmerken, daß er dieses Manöver für eine Farce hielt, denn es fehlte die Luftwaffe. Das Manövergelände wurde im Norden von einer ausgedehnten Kusselkiefernschonung° und im Süden von einem verlandeten

----

spot checks

line of jeeps

wonderful

shrike

blendender ... in a fine mood

field kitchen

stereotelescopes

nursery of young pine trees

Luch° abgegrenzt. Nach Osten zu ging es in eine   swamp
dunstflimmernde Heidelandschaft über. Es war schwer
zu übersehen, zahlreiche Wacholdergruppen und allerlei mit Heide und Ginster bewachsene Hügel und
Bodensenken würden es den Panzern nicht leicht
machen; zudem waren die dazwischen verstreuten
Gehöfte, wie sich der Adjutant ausgedrückt hatte, „für
PAK- und IG-Nester° geradezu prädestiniert".   **PAK-** ... antitank and in-
                                                          fantry strongholds
    Es war Mittag geworden. Die Ordonnanzen hatten
eben die Blechteller, von denen die Herren ihr Essen
zu sich genommen hatten, wieder eingesammelt, und
allerorts auf dem Hügel stiegen blaue Zigarettenwölkchen in die reglose Luft, da mischte sich in das
Lerchengedudel° und das monotone Zirpen der Grillen   piping of larks
von fern das dumpfe Gleitkettenrasseln° und asthma-   rattling of armored vehicle
tische Motorgedröhn der sich nähernden Panzer-   treads
verbände. Zugleich wurden überall im Gelände wandernde Büsche sichtbar, die jedoch ständig wieder
mit dem Landschaftsbild verschmolzen. Lediglich die
unruhig hier und dort aufsteigenden Goldammerntrupps ließen vermuten, daß die Infanterie dort
Stellung bezog.
    Es dauerte eine halbe Stunde vielleicht, da brachen,
mit dem Scherenfernrohr eben erkennbar, aus den
Kusselkiefern die ersten Panzer hervor, dicht auf von
kleineren, jedoch ungetarnten° Infanterieeinheiten ge-   uncamouflaged
folgt, und nicht lange, da sah man auch um das Luch
herum sich ein tief gestaffeltes Feld von Panzern
heranschieben. Die Luft dröhnte; der Lärm hatte den
Lerchengesang ausgelöscht, es blieb jedoch zu
vermuten, daß er weiter ertönte, denn die Lerchen
hingen noch genauso in der Luft wie zuvor. — Die
getarnte Infanterie hatte sich inzwischen eingegraben.
Auch die in der Nähe der Gehöfte in Stellung gegangenen IGs und PAKs waren ganz unter ihren Tarnnetzen
verschwunden. Jetzt sahen sich allmählich auch die-
jenigen Offiziere genötigt, an die Scherenfernrohre zu
gehen, die bisher etwas gelangweilt abseits gestanden
hatten, denn nun eröffneten die Panzer das Feuer.
Anfangs streuten sie zwar noch wahllos das Gelände
ab, doch als dann auch das sich von Süden her nä-
hernde Feld beidrehte, um sich durch eine weit aus-   **weit** ... widely enveloping
holende Zangenbewegung° mit dem nördlichen zu   pincer movement

vereinigen, fraßen sich die Einschläge immer mehr auf das eigentliche Übungsgelände zu.

Die eingegrabenen Infanterieverbände ließen sich überrollen. Sie warteten, bis das Gros der Panzer vorbei war; dann erst ging Gruppe um Gruppe, unterstützt von PAKs und IGs, zum Angriff teils auf die begleitende Infanterie, teils mit allerlei Spezial-waffen auf die einzelnen Panzer über, die sich nach-haltig, wenn auch etwas schwerfällig, zur Wehr setzten. Nun war die Schlacht in vollem Gange. — Unglück-licherweise war aber ein Wind aufgekommen, der die ganzen Pulverdampf- und Platzpatronenwolken° auf den Hügel der Manöverleitung zutrieb, so daß den Offizieren einige Zeit jede Sicht entzogen war. In den Ginsterbüschen um sie herum waren indes allerlei verängstigte Vögel eingefallen, Stieglitze, Goldam-mern, Distelfinken und einige Raubwürger. Ihre Angst hatte sie zutraulich gemacht, sie schienen die Offiziere ebenfalls für eine Schar durch die Schlacht in Mitleidenschaft gezogener Heidebewohner zu halten.

clouds of smoke from blank cartridges

Der General mußte sich Mühe geben, sich sein Ungehaltensein nicht anmerken zu lassen; es gelang ihm nur schwer,° es ärgerte ihn, daß der Wind sich ihm widersetzte. Plötzlich flaute der Gefechtslärm unvermutet ab, und als im selben Augenblick eine Bö° den Qualmschleier zerriß, bot sich den Offizieren ein merkwürdiges Bild. Das gesamte Übungsgelände, durch die Zangenbewegung der Panzer nun etwa auf einen knappen Quadratkilometer zusammenge-schrumpft, wimmelte von Schafen, die, von offensicht-licher Todesangst gejagt, in mehreren unglaublich breiten, gegeneinander anprallenden und ineinander verschmelzenden Strömen zwischen den Panzern umherrasten. Die Panzer hatten gehalten und, um die Tiere nicht noch kopfscheuer° zu machen, auch ihre Motoren abgestellt. Die PAKs und IGs schwiegen ebenfalls, und durchs Scherenfernrohr konnte man erkennen, wie hier und dort in den Fenstern der zunächst gelegenen Gehöfte neugierige Soldatenge-sichter auftauchten, die gebannt auf das seltsame Schauspiel herabsahen. Auch die Turmluks der Panzer gingen jetzt auf, immer zwei bis drei ölverschmierten Gesichtern Raum lassend, und plötzlich war die Luft,

es ... he succeeded only with difficulty

gust of wind

more panicky

eben noch bis zum Bersten geschwellt vom Gefechtslärm, mit nichts angefüllt als dem tausend- und aber-
tausendfachen Getrappel der Schafhufe, einem Geräusch, das sich auf dem ausgedörrten Boden wie ein
gewaltiger, drohend aufbrandender Trommelwirbel
anhörte, der lediglich hin und wieder mal ein halb
ersticktes Blöken° freigab.   bleating

    Der General, fleckig vor Zorn im Gesicht, sah sich
nach seinem Ordonnanzoffizier um, der mit der Evakuierung des Geländes beauftragt gewesen war. Der
war blaß geworden. Er stammelte einige unbeholfene
Entschuldigungen und vermochte sich nur mit
Mühe soweit zu fangen, daß er behauptete, die Schafe
könnten einzig von außerhalb des Gefechtsgeländes
eingebrochen sein. Mit Rücksicht auf die anwesenden
Gäste verbiß sich der General eine Erwiderung und
rief den Gefechtsstand an. Die Schafe, befahl er mit
bebender Stimme, hätten umgehend zu verschwinden,
die verantwortlichen Herren hätten sofort die entsprechenden Befehle zu geben. Die Offiziere am Gefechtsstand sahen sich an. Auch ihnen war die Peinlichkeit der Situation klar. Doch wie sich gegen diese
Flut von Sinnen gekommener Schafherden zur Wehr
setzen? Sie fanden, daß der General es sich etwas leicht
machte. Immerhin, sie gaben an die nördliche Flanke
einen Feuerbefehl und befahlen gleichzeitig den
Panzern auf dem südlichen Flügel, den Tieren
einen Durchlaß zu öffnen, in der Hoffnung, daß das
immer noch wirr durcheinanderwogende Feld so
fluchtartig sich ordnen und ausbrechen werde. Doch
die Tiere gehorchten anderen Gesetzen. Als die
Schußsalve° ertönte, fuhr zwar ein großer Schreck in   volley of shots
die einzelnen Herden, aber vor der erhofften Aus-
bruchstelle stauten sich die Tierströme plötzlich,
bäumten sich auf und fluteten, womöglich noch kopf-
loser als vorher, wieder in den Kessel° zurück, wobei   hollow, circle
die in ihren Erdlöchern kauernden Infanteristen alle
Mühe hatten, sich der über sie weg donnernden
Schafhufe zu erwehren.

    Nun konnte der General sein Ungehaltensein nicht
länger verbergen. Er rief abermals den Gefechtsstand
an und schrie in die Muschel,° er werde die verant-   telephone receiver
wortlichen Offiziere nach Beendigung des Manövers

zur Rechenschaft ziehen, und sie sollten jetzt gefälligst
mal achtgeben, wie man mit so einer Schafherde um-
spränge, er, der General, würde es ihnen jetzt vorexerzieren.° Darauf entschuldigte er sich bei den Delega-
tionen, befahl dem Ordonnanzoffizier, ihn zu vertreten,
begab sich den Hang hinunter zu seinem Jeep und ließ
sich, soweit es ging, in das Getümmel der Schafleiber
hineinfahren. Es ging aber lange nicht so weit, wie
er gedacht hatte; die Tiere scheuten zwar vor den
Panzern, doch der Jeep des Generals war ihrer Angst
zu unbedeutend, und im Nu war er derart eingekeilt,°
daß er weder vorwärts konnte noch rückwärts.

    Der General hatte eigentlich vorgehabt, ein paar
Züge Infanterie zusammenzuraffen und mit ihrer Hilfe
die Schafe zu jener Ausbruchsstelle zu treiben; jetzt
mußte er einsehen, daß das unmöglich war. Aber er
sah noch etwas ein: Er sah ein, daß er sich lächerlich
gemacht hatte. Er spürte im Nacken, daß die Militärattachés auf dem Hügel ihn durch die Scherenfernrohre beobachteten, und in Gedanken hörte er sie allerlei Witzeleien austauschen. Ein maßloser Zorn stieg
plötzlich in ihm auf; ihn, der sich in zwei Weltkriegen
und Dutzenden von Schlachten bewährt hatte, ihn
sollte dieses Gewimmel dumpfer und nur ihrem
Herdeninstinkt gehorchender Tiere der Lächerlichkeit
preisgeben? Er spürte, wie ihm das Blut ins Gehirn
stieg, er schrie den Chauffeur an, er solle Gas geben
und weiterfahren; der Chauffeur gehorchte auch,
aufheulend fraßen die Räder sich in den staubigen
Boden, aber der Wagen rührte sich nicht, der Gegendruck der ihn umwogenden Schafwellen war stärker.
Da riß der General, verrückt fast vor Zorn, die
Pistole aus dem Gurt und schoß, wahllos in die Herde
hineinhaltend, sein Magazin leer. Im selben Augenblick wurde der Wagen auf der einen Seite eine
Kleinigkeit angehoben, er schwankte, als würde er
von windbewegten Wellen getragen, neigte sich etwas,
und ehe noch der General und der Chauffeur sich
hätten auf die entgegengesetzte Seite werfen können,
stürzte er langsam und fast vorsichtig um.

    Es dauerte eine Weile, bis sich der General der über
ihn hintrappelnden Schafhufe erwehrt und die schmer-
zenden Beine unter der Jeepkante hervorgezogen hatte.

würde ... would show them
how to do it

im ... in no time he was so
wedged in

Benommen erhob er sich und blickte sich um. Die
Welt schien nur aus Schafen zu bestehen, so weit das
Auge reichte, reihte sich Wollrücken an Wollrücken,
die Panzer ragten wie zum Untergang bestimmte
Stahlinseln aus dieser Tierflut hervor. Jetzt erst bemerkte der General, daß sich um ihn und den Jeep ein
winziger freier Platz gebildet hatte, die Schafe schienen
vor irgend etwas zurückgewichen zu sein. Der General
wollte sich eben dem Chauffeur zuwenden, der sich
den Kopf aufgeschlagen hatte und ohnmächtig geworden war, da gewahrte er, daß sich noch jemand
innerhalb des Bannkreises° befand: ein riesiger, schwer   sphere of influence
atmender Widder.° Reglos stand er da, den zottigen   ram
Schädel mit dem unförmigen Schneckengehörn ab-
wartend gesenkt, das Weiß seiner Augen spielte ins
Rötliche, Brust und Vorderbeine des Tieres zitterten
wie von einem im Innern laufenden Motor erschüttert,
Hals und Gehörnansatz wiesen mehrere frische Schuß-
wunden auf, aus denen in schmalen Rinnsalen fast
tiefschwarzes Blut quoll, das sich langsam im kletten-
verfilzten Brustfell verlief.

Der General wußte sofort: Dieses Tier hatte er
vorhin verwundet, und diesem Tier würde er sich jetzt
stellen müssen.° Er tastete nach seiner Pistolentasche,   **würde** ... would have to
sie war leer. Langsam, ohne den Widder dabei aus den   face
Augen zu lassen, machte er einen tastenden Schritt zum
Jeep hin, den er gern zwischen sich und den Widder
gebracht hätte. Doch kaum sah der den Gegner sich
aus seiner Starre lösen, da raste er mit zwei, drei
federnden Sätzen heran, der General warf sich zur
Seite, und der Kopf des Widders krachte gegen die
Karosserie.° Er schüttelte sich und starrte einen   body (of the jeep)
Augenblick betäubt vor sich nieder. Dem General
schlug das Herz bis in den Hals, er spürte, wie ihm
Stirn und Handflächen feucht wurden. Sein Zorn war
verflogen. Er dachte auch nicht mehr an die Be-
merkungen der Herren hinter den Scherenfernrohren,
er dachte nur: Er darf mich nicht töten, er darf mich
nicht töten. Er war jetzt kein General mehr, er war
nur noch Angst, nackte, bebende Angst; nichts
anderes hatte mehr in ihm Platz, nur diese Angst. Da
warf sich der Widder herum; der General spürte einen
wahnsinnigen Schmerz in den Eingeweiden, eine

Motorsäge° kreischte in seinem Kopf auf, er mußte sich übergeben, er stürzte, und noch während er umsank, stieß ihm der Widder abermals das klobige Schneckengehörn in die Bauchgrube, der General spürte, wie etwas, das ihn an diese Erde gebunden hatte, zerriß, dann ging das Kreischen der Motorsäge in einen unsagbar monotonen Geigenstrich über, und ihm schwanden die Sinne.

power saw

Niemand hatte geahnt, daß der General sich in Lebensgefahr befunden hatte. Einige der Panzerbesatzungen und die Offiziere auf dem Manöverhügel hatten zwar, als der Jeep umgekippt und dann plötzlich der Widder auf den General losgegangen war, den Eindruck von etwas Ehrenrührigem° und Peinlichem gehabt, aber auf die Idee, der Widder könnte dem General gefährlich werden, war niemand gekommen. Die Offiziere fühlten sich daher, als der General sich nicht wieder erhob, etwas merkwürdig berührt, ein Teil versuchte sich abzulenken, ein Teil überlegte aber auch, wie man, durch dieses Meer von Tierleibern hindurch, zu ihm hingelangen könnte. — Es waren die Schafe selbst, die die Herren der Peinlichkeit ihres Untätigseinmüssens° enthoben. Ganz plötzlich, wie auf einen unhörbaren Befehl hin, entstand nämlich inmitten der immer noch hektisch gegeneinander anbrandenden Herden so etwas wie eine Art ordnender Wirbel, der ständig breitere Tierströme mit einbezog, bis sich auf einmal eine gewaltige Sogwelle° von ihm ablöste, die ihn im Nu aufgerollt hatte, und, das gesamte Feld hinter sich herreißend, sich ostwärts in die dunstflimmernde Heide ergoß, wo die Tiere, innerhalb kürzester Frist, hinter einer riesigen rötlichen Staubwolke verschwunden waren.

slanderous

helpless state

undertow

Als der Ordonnanzoffizier, zugleich mit den Offizieren vom Gefechtsstand, bei dem umgestürzten Jeep angelangt war, hatten die Sanitäter, unterstützt von einigen Panzersoldaten, den Leichnam des Generals schon auf eine Leichtmetallbahre gehoben und waren dabei, ihn zum Krankenwagen zu tragen, der Chauffeur des Generals half ihnen dabei. — Eine Wiederaufnahme der Gefechtsübungen erschien nicht ratsam. Da die Panzer sich hierfür wieder auf ihre

Ausgangspositionen hätten zurückziehen müssen, was
gleichbedeutend mit einem gut dreifachen Spritver-
brauch° gewesen wäre, glaubte der rangälteste Offizier   fuel consumption
es verantworten zu können, die Übung kurzerhand
abzublasen. Enttäuscht schlenderten die Herren wieder
zu ihren Geländewagen, die Fahrer ließen den Motor
an, und langsam, vorbei an den schwerfällig wenden-
den Panzern und den Trupps sich sammelnder Infanterie, setzte sich die Jeepkette in Marsch; den
Abschluß bildete der Sanitätswagen.

Es dauerte nicht lange, da zog auch die Infanterie ab;
ihr folgten die PAKs und IGs und zuletzt war noch die
Feldküche übrig, auf die die Ordonnanzen die
Klappstühle und die Scherenfernrohre verluden,
indessen zwei Nachrichtenleute die Feldkabel abbau-
ten. Bald war auch diese Arbeit getan. Der Fahrer der
Feldküche pfiff die Leute zusammen, sie stiegen auf,
und, einen sorgsam mit Wasser bespritzten Aschenhaufen zurücklassend, rollte die Feldküche mit halb
angezogener Bremse den Abhang hinab. — Nun
kehrte den Vogelscharen, die zu Beginn des Gefechts
auf dem Ginsterhügel eingefallen waren, der Lebensmut wieder. Sie schüttelten sich, sie putzten sich umständlich, und Schwarm nach Schwarm stoben sie ab,
hinab in die Ebene, über der immer noch, fast unbeweglich, die Lerchen hingen, deren Gesang nun wieder
mit dem monotonen Zirpen der Grillen, dem Summen
der Bienen und dem trunkenen Schrei des Bussard-
paares verschmolz.

FRAGEN

 1 Was konnte der Ordonnanzoffizier melden?
 2 Was ordnete der General an?
 3 Wie erwies sich seine Sorge?
 4 Welche Wagen setzten sich zuerst in Marsch?
 5 Wovon wurden sie gefolgt?
 6 Was für Wetter herrschte?
 7 Welche Vögel konnte man sehen?
 8 Wie ist die Anfangsstimmung (initial mood) der Erzählung?
 9 Was hatte man für die Herren vorbereitet?
10 Beschreiben Sie den General!
11 Wofür hielt er das Manöver?

12 Was fehlte dem Manöver?
13 Was für Einheiten folgten den Panzern?
14 Warum hatte sich die Infanterie eingegraben?
15 Wovon wimmelte plötzlich das Übungsgelände?
16 Warum hatten die Panzer ihre Motoren abgestellt?
17 Wie wurde der General?
18 Was wollte der General den Offizieren vorexerzieren?
19 Scheuten sich die Schafe vor dem Jeep des Generals?
20 Was sah der General ein?
21 Was schrie er den Chauffeur an?
22 Was kippte den Jeep um?
23 Was für ein Tier hatte der General verwundet?
24 Warum konnte er es jetzt nicht erschießen?
25 Woran dachte der General?
26 Warum fühlte er sich nicht mehr als General?
27 Wohin fliehen die Schafe?
28 Wohin trug man den Leichnam des Generals?
29 Warum wird die Übung abgeblasen?
30 Wie ist die Schlußstimmung der Erzählung?

MÜNDLICH-SCHRIFTLICHE ÜBUNGEN

1 Ändern Sie das Adjektiv in ein Adverb!
     BEISPIEL: Er hatte eine abgehackte Stimme. / Er sprach abgehackt.

   a Er hatte eine wegwerfende Stimme.
   b Sie hatte eine bebende Stimme.
   c Sie hatte eine angenehme Stimme.

2 Ersetzen Sie das Verbum „sein" durch „sich befinden"!
     BEISPIEL: Kein menschliches Wesen war da. / Kein menschliches Wesen
     befand sich da.

   a Der General war am Gefechtsstand.
   b Die Militärattachés waren auf dem Hügel.
   c Wir waren auf dem Übungsgelände.

3 Ersetzen Sie das Verbum durch ein Adjektiv, das mit „-bar" endet!
     BEISPIEL: Das Gelände war schwer zu übersehen. / Es war kaum übersehbar.

   a Der Panzer war schwer zu erkennen.
   b Das Ziel ist kaum zu erreichen.
   c Der Wagen ist nicht zu überholen.

4 Ersetzen Sie die Dativform durch die Nominativform+„einsehen"!
      BEISPIEL: Dem General wurde alles klar. / Er sah alles ein.

   a Der Frau wurde nichts klar.
   b Den Offizieren wird die Geschichte klar.
   c Mir wird die Wahrheit klar.

5 Ersetzen Sie das Substantiv durch ein Adjektiv!
      BEISPIEL: Der Zorn stieg in ihm auf. / Er wurde zornig.

   a Die Trauer stieg in ihr auf.
   b Die Angst stieg in mir auf.
   c Der Hunger stieg in ihnen auf.

6 Bilden Sie einen zweiten Satz mit „anschreien"!
      BEISPIEL: Er rief zornig zum Chauffeur. / Er schrie den Chauffeur an.

   a Der Chef hat zornig zum Journalisten gerufen.
   b Die Mutter ruft zornig zum Kind.
   c Er hatte zornig zur Hirtin gerufen.

7 Bilden Sie einen zweiten Satz mit „spüren"!
      BEISPIEL: Sein Zorn war verflogen. / Er spürte keinen Zorn mehr.

   a Meine Liebe war verflogen.
   b Seine Angst war verflogen.
   c Ihr Haß war verflogen.

8 Wiederholen Sie den Sinn des Satzes mit „auf" und „kommen"!
      BEISPIEL: Niemand hatte diesen Gedanken. / Niemand war auf diesen Ge-
      danken gekommen.

   a Niemand hatte diese Idee.
   b Er hatte diese Vorstellung.
   c Sie hatten diesen Zweifel.

9 Ergänzen Sie den Satz mit „dürfen"!
      BEISPIEL: Er tötet mich nicht. / Er darf mich nicht töten.

   a Sie hat mich nicht getötet.
   b Wir werden ihn nicht töten.
   c Sie töten ihn nicht.

10 Lesen Sie den Satz im Imperfektum!
      BEISPIEL: Das Fahrzeug biegt vom Feldweg ab. / Es bog vom Feldweg ab.

   a Die Fahrzeuge biegen vom Feldweg ab.
   b Wir biegen vom Feldweg ab.
   c Biegen sie vom Feldweg ab?

11 Bilden Sie ein Adjektiv aus dem ersten Verbum!

    BEISPIEL: Der Infanterist kauert und bebt. / Der kauernde Infanterist bebt.

  a Die Gulaschkanone dampft und riecht.

  b Das Schaf atmet und zittert.

  c Das Kind lacht und springt.

12 Setzen Sie den Satz ins Perfektum!

    BEISPIEL: Das Fahrzeug wurde von den anderen gefolgt. / Es ist von den anderen gefolgt worden.

  a Die Befehle wurden von dem General gegeben.

  b Der Klappstuhl wurde langsam verladen.

  c Der Wagen wurde von den Schafen umgestürzt.

VOCABULARY

The vocabulary for this collection is generally complete. Omitted are a few obvious cognates and basic lexical items which the student with two or three semesters of German can be assumed to know. Nominative singular and plural forms of nouns are indicated. Where necessary or desirable to avoid confusion the genitive singular is also supplied. Similarly, principal parts of irregular verbs are generally abbreviated, but complete forms are included where advisable. *Sein* verbs are keyed with *ist*. Separable prefix verbs are designated by the use of a hyphen (*auf-hellen*). The reflexive pronoun *sich* appears in parentheses when the following verb may be either reflexive or non-reflexive.

ab-bauen dismantle
ab-bekommen, bekam ab, abbekommen receive a share of, catch
ab-biegen, o, (ist) o turn, branch off
ab-blasen, ie, a, ä cancel, sound retreat
ab-brechen, a, o, i break off
abendlich evening, nocturnal
abermals once more, again
abertausendfach thousand- and thousand-fold
ab-fahren, u, (ist) a, ä depart, drive away
ab-flauen abate, slacken
ab-geben, a, e, i deliver, present; loose
abgeblättert peeled, scaled off
abgebrüht hard-boiled
abgegrenzt delimited, bounded
abgehackt chopped off, staccato
abgekämpft exhausted
abgekaut chewed off
abgelegen taken off, removed
abgeschürft scraped off
der **Abgrund, -gründe** abyss, precipice
ab-halten, hielt ab, abgehalten, hält ab hold back, hinder, deter
der **Abhang, -hänge** slope
ab-kürzen shorten

der **Ablauf** expiration, completion
die **Ablehnung, -en** rejection, refusal
ab-lenken turn away, avert
sich **ab-leiten** derive, come from
sich **ab-lösen** drop, become detached
der **Abmarsch, -märsche** marching off, away
ab-nehmen, nahm ab, abgenommen, nimmt ab take off; take from, spare; receive
ab-riegeln block, cut off; bar, bolt
ab-sägen saw off
abschätzend estimating
abschätzig deprecating, contemptible
der **Abschaum** scum, dregs
der **Abschied, -e** farewell, parting
der **Abschluß, -schlusses, -schlüsse** conclusion, settlement
ab-schneiden, schnitt ab, abgeschnitten cut off
ab-schütteln shake off
ab-schweifen, (ist) digress
abseits aside, apart
die **Absicht, -en** intention
ab-springen, a, (ist) u jump down
der **Absprung, -sprünge** leaping off, leap (down from)
ab-stammen, (ist) descend, be descended from

143

ab-stäuben flick, knock off (cigarette ash); dust, dust off

ab-stehen, stand ab, (ist) abgestanden grow stale, become flat

ab-steigen, ie, (ist) ie climb down, get off

ab-stellen turn, cut off

ab-stieben, stob ab (stiebte ab), (ist) abgestoben (abgestiebt) take off; scatter, disperse

ab-stimmen coordinate, synchronize; vote

sich **ab-strampeln** overexert, wear oneself out

ab-streuen scatter, sweep with fire

der **Absturz, -stürze** precipitous fall

ab-stürzen, (ist) fall, crash down

ab-suchen scour, search carefully

ab-tragen, u, a, ä wear out (clothes)

ab-treten, a, (ist) e, tritt ab fall out (dismiss); resign

ab und zu now and then, occasionally

ab-warten wait for, await

ab-wischen wipe off

ab-ziehen, zog ab, (ist) abgezogen march off, retire

die **Abzweigung, -en** fork (in a path)

ab-zwingen, a, u obtain by force

die **Achselhöhle, -n** armpit

achten pay attention to; **niemand achtet seiner** no one pays attention to him

acht-geben, a, e, i pay attention to, observe

die **Achtung** attention; respect

der **Ackergaul, -gäule** farm horse

der **Adjutant, -en, -en** adjutant

der **Affe, -n, -n** ape, monkey

ähneln (*dat.*) resemble, look like

ahnen suspect, have a presentiment of

ähnlich similar

die **Ähnlichkeit, -en** similarity

die **Ahnung, -en** idea; premonition

der **Ahornblütenmilchpunsch, -e** maple syrup punch drink

die **Akkuratesse** exactness, accuracy

der **Akzent, -e** stress, accent

alarmieren alarm

albern silly, absurd

das **All** universe

allein alone; however

alleingültig solely valid

allerhand all kinds of

allerlei all kinds of

allerletzt very last

allerorts everywhere

allgemein general

allmählich gradual

alltäglich trite, commonplace

alsbald immediately, forthwith

das **Alter** age

das **Altersheim, -e** home for the aged

die **Amtsmütze, -n** official cap

die **Amtsperson, -en** official personage

sich **amüsieren** amuse, enjoy oneself

die **Ananke** *Greek goddess of absolute fate, inevitable necessity*

der **Anblick** sight, view

an-blicken look at

an-branden surge on

an-bringen, brachte an, angebracht apply, attach

ändern change

anders otherwise

an-deuten indicate, suggest

die **Andeutung, -en** indication

der **Andrang** rush, pressure

an-erkennen, erkannte an, anerkannt acknowledge

der **Anfang, -fänge** beginning

an-fangen, i, a, ä begin

anfänglich initial

anfangs initially, at first

an-führen conduct, lead on

an-füllen cram, fill

an-geben, a, e, i indicate

an-gehen: sie gehen dagegen an they resist it; **was geht das mich an** what's that to me

angehoben lifted up, raised

angelegentlich important, pressing

angenehm pleasant, agreeable

das **Angesicht, -er** face

angesprungen running, jumping up

angestrengt exacting, with great care

angewidert revolted, disgusted

angezogen pulled up; **mit halb angezogener Bremse** with brakes partly applied

der **Angriff, -e** attack, assault

die **Angst, ̈e** fear, anxiety

ängstlich nervous, uneasy

an-halten, ie, a, ä check, restrain

anhand (*with gen.*) on the basis of, by virtue of

an-herrschen yell at (dictatorially)

an-hören listen to, hear; **das hört sich drohend an** that sounds threatening

der **Anker, –** anchor; **vor – gehen** cast anchor

an-kommen, kam an, (ist) angekommen (darauf) to matter, be a question of; arrive

an-kündigen announce

die **Ankündigung, -en** announcement

die **Ankunft, -künfte** arrival

an-langen, (ist) reach, arrive at

der **Anlaß, Anlasses, Anlässe** occasion

an-lassen, ließ an, angelassen, läßt an start (engine)

an-legen put on, wear

an-melden report

an-merken notice; **man möchte ihm anmerken** one might notice by his manner

anmutig charming

an-nehmen, nahm an, angenommen, nimmt an take on, assume

anonym anonymous

an-ordnen direct, order

der **Anprall** collision, shock

an-prallen, (ist) bump, strike hard (against)

an-rauchen begin to smoke

das **Anrücken** advance, approach

an-rufen, ie, u call up, telephone

an-rühren touch, move; stir

sich **an-sagen** announce an intended visit

an-schauen look at

anscheinend apparent

der **Anschlag, Anschläge** attempted assassination

sich **an-schließen, schloß an, angeschlossen** join, follow

an-schreien, ie, ie scream at

an-schweigen, ie, ie be silent toward, **wo dein Schweigen die Wände anschweigt** where your silence hits the walls

an-sehen, a, e, ie look at; **das sah man ihm an** you could tell that by looking at him

ansehnlich imposing, stately; eminent

an-spannen strain, exert

die **Anspannung** tension, strain

der **Anspruch, -sprüche** claim, pretension, demand; **– stellen** make demands

an-starren stare, gaze at

an-staunen gaze at

der **Anstieg, -e** ascent

anstrengend straining, exerting; enervating

die **Anstrengung, -en** exertion, effort

das **Antlitz, -e** face

an-treten, a, (ist) e, tritt an fall in (military); enter upon, begin

der **Anwärter, –** candidate

an-weisen, ie, ie show, direct to

an-wenden, wandte an (wendete an), angewandt (angewendet) use, apply

anwesend present, being present

die **Anwesenheit** presence

an-zeigen report, inform

anziehend tightening, holding fast; attractive

der **Anzug, -züge** suit

anzüglich suggestive; personal; offensive

der **Äolsharfenton, -töne** tone of an Eolian harp

die **Apotheke, -n** apothecary shop, pharmacy

die **Apparatur, -en** equipment

der **Arbeitsausschuß, -schusses, -schüsse** work committee

arg bad, severe

der **Ärger** annoyance, vexation

ärgerlich vexed, annoyed

ärgern irk, irritate; **sich –** be irritated, vexed

das **Ärgernis, -ses, -se** anger, vexation

arglos unsuspecting, guileless

die **Armee, -n** army

der **Ärmel, –** sleeve

armselig miserable, wretched

die **Armwelle, -n** swinging with the arms around the horizontal bar

die **Art, -en** type, kind; way, manner

der **Artz, ⁓e** physician

die **Asche, -n** ash, ashes

der **Aschenbecher, –** ash tray

der **Aschenhaufen, –** pile of ashes
der **Atem** breath, breathing
    atemlos breathless
die **Atemlosigkeit** breathlessness
    atmen breathe
    ätsch serves you right
sich **auf-bäumen** rear up
    auf-biegen o, o bend, turn up
das **Aufblasen** blowing up
    auf-blinken flash, flash on
    auf-branden surge, surge up
    auf-brechen, a, (ist) o, i set out, move
    off, depart; break open
der **Aufbruch, -brüche** departure, setting
    out
sich **auf-drängen** force, intrude upon
    auf einmal all at once, suddenly
der **Aufenthalt, -e** sojourn, stay
    auf-fallen, fiel auf, (ist) aufgefallen,
    fällt auf strike, notice; **Ist es Ihnen**
    aufgefallen Have you noticed
    auf-fangen, i, a, ä catch
die **Aufgabe, -n** task, problem
    auf-gehen, ging auf, (ist) aufge-
    gangen open; **die Tür geht auf**
    the door is opening
    aufgeregt excited, stirred up
    aufgeschnupft turned up, flattened
    (nose)
    auf-greifen, griff auf, aufgegriffen
    take up, snatch up; resume
    auf-heben, o, o lift up; resolve, solve
    auf-hellen light up, brighten
    aufheulend screeching
    auf-hören stop, cease
    aufjauchzend shouting with joy
    auf-klaren clear, clear up
    auf-klären clear up, clarify
die **Aufklärung** enlightenment, explana-
    tion, clarification
    auf-kreischen shriek, scream out
    auf-legen lay on, impose
die **Auflehnung** resistance; revolt
    auf-leuchten light up, flash on
    auf-malen paint on
die **Aufmerksamkeit** attention
das **Aufnahmegerät, -e** recorder, re-
    cording apparatus
    auf-passen pay attention, look out,
    be on the alert
    auf-polieren polish; furbish up

    auf-prallen, (ist) bounce, rebound
die **Aufregung, -en** agitation, excitement
    auf-reißen, riß auf, aufgerissen
    fling open; burst; rip up
    auf-richten lift up, raise; erect
der **Aufriß, -risses, -risse** sketch
    auf-rollen unroll, push back, expose
    auf-sagen recite, repeat
    auf-schlagen, u, a, ä crack, crack open
    aufschlußreich instructive, informa-
    tive
    auf-schwemmen bloat; soak
    auf-setzen put on
    auf-springen, a, (ist) u leap, jump up
    auf-stampfen stamp (foot)
    auf-steigen, ie, (ist) ie rise, mount
    auf-stellen set up, erect
    auf-stützen prop up, support
    auf-suchen go to see, hunt up, seek
    out
    auf-tauchen, (ist) emerge, surface;
    appear
der **Auftrag, Aufträge** mission, task
    auf-tragen, u, a, ä put on
das **Auftreten, –** appearance
der **Auftritt, -e** appearance; scene
    auf-tun, tat auf, aufgetan open
    auf-wachen, (ist) wake up, awaken
    auf-wachsen, u, (ist) a, ä grow up
    auf-wärmen warm up; renew, serve
    up again
    aufwärts upward
    auf-weisen, ie, ie show, indicate
die **Aufzählung, -en** enumeration, count-
    ing up
    äugen eye; look about carefully
der **Augenblick, -e** moment, instant
die **Augenbraue, -n** eyebrow
die **Augenschale, -n** *type of Greek pottery*
    (*bowl, vessel, vase*)
die **Ausbruchsstelle, -n** point of out-
    break, escape
die **Ausdehnung** extent, expanse
    aus-denken, dachte aus, ausgedacht
    conceive, think of
    aus-dörren dry up, desiccate
der **Ausdruck, Ausdrücke** expression
    aus-drücken express
    auseinander-bröckeln break, crumble
    apart; disperse
    aus-führen perform, execute

die **Ausführung** execution, performance
aus-füllen fill out, complete
der **Ausgang, Ausgänge** exit
die **Ausgangsposition, -en** initial position, line of departure
ausgedehnt extensive
ausgefahren bumpy
ausgelöscht wiped out, obliterated
ausgemacht decided
ausgeschlossen excluded; out of the question
ausgestreckt stretched out
ausgetreten trampled, worn
ausgezeichnet excellent
ausgiebig rich, plentiful
aus-halten, hielt aus, ausgehalten, hält aus stand, endure
aus-holen lift, swing the arm (for a blow), make enveloping movement
sich **aus-kennen, kannte aus, ausgekannt** know one's way about, be familiar with
aus-kratzen claw, scratch out
die **Auskunft, Auskünfte** information; particulars; intelligence
ausländisch foreign
aus-löschen extinguish, blot out
aus-machen constitute, make up
aus-merzen expurgate, suppress, efface
sich **aus-prägen** be distinctly marked, strike the eye
aus-rauben rob, steal
die **Ausrede, -n** excuse, subterfuge
die **Ausreisegenehmigung, -en** exit permit
aus-reißen, riß aus, ausgerissen, reißt aus tear out, pluck off
die **Aussage, -n** testimony; statement
die **Ausschaltung, -en** elimination, by-pass
der **Ausschank, Ausschänke** tavern, bar
(die) **Ausschau halten** watch for, be on the lookout for
der **Ausschuß, -schusses, -schüsse** committee
aus-schütten empty, pour out
aus-schlachten butcher
das **Ausschwingen** swinging out
aus-sehen, a, e, ie appear, look like
außerdem besides, in addition

außerhalb (*gen.*) outside of
die **Äußerlichkeit, -en** formality, superficiality, externals
außerstande not in position; unable to
außertechnisch extratechnical, supratechnical
die **Aussicht, -en** view
aussichtslos hopeless, without prospects
aus-sprechen, a, o, i speak, pronounce
aus-stanzen punch out, stamp out
aus-strecken stretch out
der **Ausweg, -e** way out, outlet; opening
aus-tauschen exchange, swap
auswendig by heart, by memory
das **Auswertungsergebnis, -se** evaluation result
die **Auszeichnung, -en** decoration; distinction
der **Autobus, -busses, -busse** bus
der **Automat, -en, -en** automat, self-service restaurant
das **Automatenrestaurant, -s** automat (restaurant)

das **Bad, ⸚er** swim, bath
baden bathe, go swimming
die **Bahn, -en** train; streetcar
das **Bajonett, -e** bayonet
bald soon
der **Baldrian, -e** valerian (a sedative)
der **Balken, -** plank, beam
der **Ball, ⸚e** ball, dance
der **Ballen, -** palm (of the hand)
das **Band, -e** bond, tie
die **Bande, -n** gang, band
das **Banditenstück, -e** bandit affair, coup, caper
die **Bank, ⸚e** bench
die **Bank, -en** bank
bannen enchant; exorcise
der **Bannkreis, -e** sphere of influence, jurisdiction
die **Bar, -s** bar; night club
bar-zahlen pay cash
die **Barbarei, -en** barbarity, cruelty
der **Barren, -** parallel bars
der **Bartisch, -e** bar, bar counter
die **Basis, Basen** base, basis
das **Bataillon, -e** battalion

der **Bauch, ̈e** belly
die **Bauchgrube, -n** abdominal cavity
der **Baumstamm, Baumstämme** tree trunk
beachten notice; regard
der **Beamte, -n, -n** official
beantworten answer
beauftragen charge, entrust with, commission
beben shake, quiver
der **Becher, –** cup, goblet
der **Bedarf** need, requirement; **bei –** on demand
bedauern regret, deplore
sich **bedenken, bedachte, bedacht** consider, deliberate
bedenkenlos unscrupulous; uncritical
bedeuten signify, indicate
bedeutend significant
die **Bedeutung, -en** significance, meaning
bedeutungslos unimportant, insignificant
bedienen serve
die **Bedingung, -en** stipulation, terms, restriction
bedrängt pressed
bedrohlich threatening, menacing
bedrücken harass, oppress; press
sich **beeilen** hurry, hasten
beenden conclude, end
die **Beendigung** conclusion, termination
der **Befehl, -e** order, command
befehlen, a, o, ie order, command
befehligen command
sich **befinden, a, u** be located, be
befördern dispatch; transport, forward
befriedigen satisfy; **befriedigend** satisfactory
sich **befreunden** become friendly with
die **Befürchtung, -en** apprehension, fear
befühlen feel
die **Begabung, -en** ability, gift
sich **begeben, a, e, i** take place; betake oneself
die **Begebenheit, -en** event, occurrence
begegnen (*dat.*), (**ist**) meet
begehren covet
begehrenswert desirable
der **Beginn** beginning
begleiten accompany

der **Begleiter, –** escort, guide; companion
begreifen, begriff, begriffen understand, comprehend
begütigend appeasing, calming
behandeln treat
die **Behandlung, -en** treatment
beharren persist in, insist
behaupten maintain, state
die **Behendigkeit** agility, dexterity
beherrschen master
beherzt spirited, plucky
die **Behörde, -n** authorities, government
behutsam careful, prudent
bei-behalten, ie, a, ä retain, preserve
bei-drehen heave to, wheel about
bei-legen ascribe, attribute to
das **Bein, -e** leg
beinah(e) almost
das **Beisammensein** fellowship, association; gathering, meeting
beißen, biß, gebissen bite
bejahen assent to, affirm; **bejahend** affirmative
bekannt well-known, famous
der **Bekannte, -n, -n** acquaintance
bekannt-geben, a, e, i make known, announce
bekanntlich as is well known
bekannt-machen announce, make known
die **Bekanntmachung, -en** notice, announcement
beklagenswert deplorable, lamentable
bekommen, bekam, bekommen get, receive
belanglos unimportant, inconsequential
belegtes Brot sandwich
die **Beleuchtung** lights; lighting, illumination
beliebig optional, arbitrary
ein **beliebiger Flug** any flight, a flight to one's liking
belügen, o, o lie to, deceive
bemerken remark; notice
die **Bemerkung, -en** remark
sich **bemühen** show concern for, take trouble for
bemüht bent on, intent upon
sich **bemüßigt fühlen** feel obliged (to), compelled

benommen benumbed, stupified

benutzen use

beobachten observe

beraten, ie, a, ä deliberate, counsel

der **Berberlöwe, -n, -n** Barbary lion; African lion

bereinigen clear up, settle

die **Beratung, -en** consultation, deliberation

der **Berechnungsfehler, –** calculation error

bereisen travel through

bereit ready

bereiten prepare, offer

bereits already

bereitwillig prompt, eager, willing

bergen, a, o, i save, secure; **sich –** flee, save oneself

das **Bergfest, -e** mountain festival

der **Bericht, -e** report, account

berichten report

der **Berichterstatter, –** reporter, correspondent

bernsteinfarben amber-colored

bersten, a, (ist) o, i(e) explode, burst

berücken fascinate, beguile

der **Beruf, -e** profession, occupation

beruhigen calm, pacify

sich **berühmen** brag, boast

berühmt famous, renowned

berühren touch; move

besagen state; **es besagt nichts** it does not mean anything

besagt stated, mentioned before

sich **beschäftigen** be busy, be occupied

beschatten shade

die **Beschattung, -en** shadowing, surveillance

der **Bescheid, -e** information, knowledge; **– wissen** know what it's all about

bescheiden modest, unassuming

bescheinen, ie, ie shine upon

beschließen, beschloß, beschlossen determine, decide

beschneit snow-covered

beschwören exorcize

beseelen animate, inspire

besetzen occupy, garrison, man

besingen, a, u sing about, praise

sich **besinnen, besann, besonnen** remember, recollect

besitzen, besaß, besessen possess

das **Besitztum, ⁻er** property, possession

im **besonderen** in particular, especially

besonders especially

besorgen take care of, procure

besorgt concerned, worried

bespritzt squirted

bestanden covered, overgrown

der **Bestandteil, -e** constituent, component

bestätigen confirm, verify; sanction

bestehen, bestand, bestanden endure, pass, get through; **– aus** consist of

bestellen order

bestimmen appoint, assign; determine

bestimmt definite; destined

die **Bestimmtheit** certainty, exactness

bestrahlen shine upon, flood

bestritten fought, contested

die **Bestzeit, -en** optimum, optimum time

betäuben stun, stupefy

beteuern assert, protest

betonen emphasize

betrachten contemplate, look at, consider

sich **betragen, u, a, ä** behave, conduct oneself

betreffen, betraf, betroffen, betrifft concern, apply to

betreten, a, e, betritt enter, enter upon

betreten startled, disconcerted; embarrassed

die **Betrübnis** distress, sadness

der **Betrug** deception, fraud, imposture

der **Bettler, –** beggar

die **Betulichkeit** officiousness

(sich) **beugen** bend, lean over

beunruhigen upset, disturb

die **Beute** booty, swag, prey

die **Bevölkerung, -en** population

bevor-stehen, stand bevor, bevorgestanden remain, be near, be imminent

bewachen guard, watch

bewachsen grown over, covered with

bewaffnet equipped, armed

sich **bewähren** stand the test, prove oneself

bewältigen master

bewegen move
die **Bewegung, -en** exercise, movement
beweisen, ie, ie prove
bewirtschaften operate
bewohnen dwell, reside in, inhabit
der **Bewohner, –** inhabitant, resident
das **Bewußtsein** consciousness
bezaubernd enchanting, charming
bezeichnen designate, describe
beziehen, bezog, bezogen: Stellung beziehen take up, occupy position
bezug, in – auf concerning, with reference to
biegen, o, o bend; **Er bog sich vor Vergnügen** He doubled up with delight
die **Biegung, -en** curve
die **Biene, -n** bee
bieten, o, o offer
bilden form
bildhäßlich extremely ugly
die **Bildschönheit** extreme beauty, beauty of a picture
die **Bildung** training, education
binden, a, u bind, connect
die **Birke, -n** birch, birch tree
bisher up to now, hitherto
bissig biting, sharp
die **Bitte, -n** request
bitten, bat, gebeten beg, implore; request
blank polished, shining, bright
blaß pale, pallid
blaßgelb pale yellow
das **Blatt, ¨er** newspaper; sheet (of paper); document; leaf
blättern turn pages, leaf through
bläulich bluish
der **Blechteller, –** mess (metal) plate
das **Blei** lead
bleich pale
blendend brilliant, dazzling; splendid
der **Blick, -e** view; insight; glance
blicken look
blinken gleam; twinkle, sparkle
blinzeln blink
der **Blitz, -e** lightning flash
das **Blitzlicht, -er** flash bulb light
der **Block, ¨e** boulder
blöken bleat

bloß just; bare; mere
bloß-stellen leave defenseless, expose
die **Blume, -n** flower
die **Bluse, -n** blouse
das **Blut** blood
die **Blüte, -n** blossom
blutjung very young
die **Bö, -en** squall, gust
der **Bock, ¨e** vaulting horse
der **Boden, ¨** ground, soil
bodenlos bottomless; enormous
die **Bodensenke, -n** depression
bonbonbunt candy-colored
das **Boot, -e** boat
bösartig malevolent, ill-natured
böse evil, bad; angry
boshaft spiteful, malicious
die **Box, -en** juke box
die **Brandung** surf, breakers
brauchen need
die **Braue, -n** brow, eyebrow
breit broad
breitgedrückt pressed wide, broad-pressed
die **Bremse, -n** brake
die **Brezel (Prezel), -n** pretzel
die **Brille, -n** eyeglasses (pair), glasses
bronzebraun bronze-brown
brüchig cracked, broken, brittle
die **Brücke, -n** bridge
brüllen roar
brüsk curt, blunt, brusk
das **Brustfell, -e** fur on animal's chest; pleura
der **Brustlatz, -lätze** breast pocket of apron
die **Büchse, -n** rifle
die **Bucht, -en** bay
bucklig hunchbacked
der **Bug, ¨e** bow
bündeln bundle
bunt gay, bright, colorful
bürgerlich plain, simple; bourgeois
die **Burgundersoße, -n** Burgundy sauce, gravy
das **Büro, -s** office
die **Bürovorsteherin, -nen** chief secretary, clerk; office manageress
der **Bursche, -n, -n** lad
der **Busch, ¨e** bush, shrub; thicket
das **Bussardpaar, -e** pair of buzzards

das **Café, -s** café
der **Champignon, -s** mushroom
die **Chance, -n** prospect, chance
der **Chef, -s** boss
der **Chefinstruktor, -en** chief instructor
die **Chimäre, -n** chimera, absurd fancy; horrible fantasm

dabei with that, at the same time; **er war dabei** he was there, present
das **Dach, ⸚er** roof
daher therefore
daher-schlendern, (ist) stroll along
daheim at home
dahin gone, away; thither, to there, that place
dahin-kommen, kam dahin, (ist) dahingekommen happen
dahinter-kommen, kam dahinter, (ist) dahintergekommen get at the bottom of, find out, discover
damals at that time
damit in order that
der **Dämmer** dusk, twilight
dämmerig dusky, dim
dampfen steam; smoke
der **Dampfer, –** steamer
dankbar thankful, grateful
dann und wann now and then
dar-stellen represent; signify
darübergebückt bent over
daselbst there, in that very place
dauern last
davorliegend situated in front of, before
dazu moreover
dazumal at that time
die **Decke, -n** ceiling
der **Deckel, –** lid
decken cover; set (the table)
die **Deckung** cover, protection
defilieren defile, pass in review
der **Degen, –** sword
der **Delphin, -e** dolphin
delphinisch Delphic
sich **denken, dachte, gedacht** imagine
denn for; anyway
dennoch nevertheless
derart to such an extent, in such a way
derb blunt, coarse; robust
dergleichen such, of such kind

deshalb therefore, for this reason
die **Deutung, -en** interpretation
deutlich clear
dicht close, tight; **– auf** near, close by
der **Dichter, –** poet
dick fat, chubby, thick
dienen (*dat.*) serve
der **Diener, –** servant
der **Dienst, -e** service
dienstältest senior
diensteifrig eager to serve, zealous
der **Dienstgang, ⸚e** rounds, official route
diensttuend on duty, O. D.
das **Ding, -e** thing
der **Distelfink, -e** goldfinch
doch yet, however, after all
die **Dohle, -n** jackdaw
donnern thunder
doppelt double
dorthin to there, there
dortzulande in that country
der **Drahtstiel, -e** wire stem
der **Drang** impulse; urgency, pressure
drängen press, hurry
draußen outside
der **Dreh, -e** trick, "business"
drehen turn; manipulate
die **Drei** number three (route) streetcar
dreifach threefold, triple
dringen, a, (ist) u penetrate; press, rush
die **Dringlichkeit** urgency
drinnen inside
das **Dritteil, -e (das Drittel, –)** third
drohen threaten
dröhnen rumble, roar
die **Drolerie, -n** drollery, oddity, buffoonery
drüben over there, yonder, on the other side
drücken press
die **Druckkabine, -n** pressure cockpit
die **Druckkammer, -n** pressure chamber
die **Drüsenerkrankung, -en** glandular ailment
duften be fragrant
dumpf dull, muffled
dumpfig damp, dank, musty
die **Düne, -n** dune
die **Dunkelheit** darkness
dünn thin

dunstflimmernd glittering with haze
durchaus absolutely, quite
durcheinanderwogend waving in confusion
durchfahren, u, (ist) a, ä pass, travel through
durch-gleiten, glitt durch, (ist) durchgeglitten slip, glide down *or* through
durchkontrolliert thoroughly checked
der **Durchlaß, -lasses, -lässe** passage, outlet
durchorganisiert thoroughly organized
durchschauen see through, grasp
durch-schlagen u, (ist) a, ä be effective, successful
der **Durchstieg, -e** transverse path, ascent
durstig thirsty
die **Düsterkeit** gloom, gloominess
das **Dutzend, -e** dozen

eben just
die **Ebene, -n** plain, flat terrain
ebenfalls likewise
echt genuine
das **Eck** (*dial.*) = die **Ecke, -n** angle, corner
eckig angular
der **Eckzahn, ⁓e** eyetooth
egal alike; **es war mir –** it was all the same to me
ehe before
die **Ehre, -n** honor
die **Ehrenerweisung, -en** demonstration of honor, ceremony of respect
ehrenhalber for honor's sake
ehrenrührig defamatory, slanderous
ehrlich honest
die **Eiche, -n** oak, oak tree
der **Eifer** zeal, fervor
eifersüchtig jealous
der **Eiffelturmstuhl, -stühle** bar stool
eigen own
die **Eigenheit, -en** pecularity, idiosyncrasy
die **Eigenliebe** egotism, self-love
eigens on purpose, especially
die **Eigenschaft, -en** property, characteristic
eigentlich real, actual

eigentümlich peculiar, queer
die **Eile** haste, speed
eilig speedy, quick
ein-beziehen, bezog ein, einbezogen draw in, engulf, include
sich **ein-bilden** imagine
ein-brechen, a, (ist) o, i break in
eindeutig plain, clear
ein-dringen, a, (ist) u press, rush in
eindringlich penetrating; forcible
der **Eindruck, ⁓e** impression
das **Einerlei** sameness, monotony
einfach simple
der **Einfall, ⁓e** idea
ein-fallen, fiel ein, (ist) eingefallen, fällt ein occur; alight, fly down
ein-fangen, i, a, ä catch, capture, seize
sich **ein-finden, a, u** turn up, appear
die **Eingabe, -n** petition, presentation
eingefallen sunken, emaciated
ein-gehen, ging ein, (ist) eingegangen (darauf) acquiesce in, agree to
das **Eingeweide, –** bowels, intestines
(sich) **ein-graben, u, a, ä** dig in
einheimisch native, indigenous
einheitlich general, uniform
ein-holen catch up with
einig united, of one opinion
einige some
sich **einigen** agree
ein-keilen wedge, hem in
ein-laden, u, a, ä invite
die **Einladung, -en** invitation
sich **ein-lassen, ließ ein, eingelassen, läßt ein** have dealings, become involved with
ein-leiten introduce
sich **ein-mischen** interfere, meddle, intervene
die **Einnahme, -n** taking in, consumption
ein-nicken, (ist) nod; fall asleep
ein-packen pack
ein-prägen imprint, impress
einsam lonely
die **Einsamkeit** solitude, loneliness
ein-sammeln gather, collect
ein-schenken pour (in)
ein-schlafen, ie, (ist) a, ä fall asleep

der **Einschlag, ⸚e** driving attack
ein-sehen, a, e, ie perceive, realize
ein-setzen set in, begin; employ
die **Einsicht, -en** insight, perception
einst one day, some day
ein-steigen, ie, (ist) ie enter, board
einstöckig one-storied, with one floor
ein-treffen, traf ein, (ist) einge-troffen, trifft ein arrive
ein-treten, a, (ist) e, tritt enter, step in
einwandfrei perfect, incontestable
ein-wenden, wandte ein (wendete ein), eingewandt (eingewendet) object, take exception to
ein-werfen, a, o, i object, protest
ein-zeichnen note, mark, draw in
die **Einzelfrage, -n** individual question
die **Einzelheit, -en** detail
einzeln individual
das **Einzelschicksal, -e** individual fate, destiny
einzig sole, only
das **Eis, -e** ice cream; ice
eisern iron
eisig icy, glacial, frigid
die **Eitelkeit, -en** vanity, conceit
elend miserable
der **Ellenbogen, –** elbow
die **Empfangshalle, -n** reception, assembly hall
empfehlen, a, o, ie recommend
empfinden, a, u feel
die **Empfindung, -en** feeling
empor-heben, o, o lift up
endlich final
energisch energetic
eng narrow
die **Enge, -n** narrow place, defile, constriction
der **Engel, –** angel
Englisches Pflaster court (adhesive) plaster (**das Pflaster, –**)
entdecken discover
die **Ente, -n** canard, hoax; duck
entfallen, entfiel, (ist) entfallen, entfällt fall away from, leave; forget
entfalten display, unfold, develop
entfernen remove, take down, away
sich **entfernen** depart, go away

entfernt distant
die **Entfernung, -en** distance
entfliehen, o, (ist) o escape, get away
entgegengesetzt opposite
entgegen-stürzen, (ist) plunge toward
entgegen-werfen, a, o, i hurl against
entgegnen reply
entgehen, entging, (ist) entgangen escape
enthalten, ie, a, ä contain
entheben, o, o remove, relieve of, exonerate
enthistorisiert dehistorified
entkommen, entkam, (ist) entkommen escape
entlang-brausen shower, bluster along
entlang-jagen, (ist) rush, speed along
sich **entledigen** get rid of, divest oneself of
entleeren empty; use up
entreißen, entriß, entrissen snatch away
(sich) **entscheiden, ie, ie** decide, determine
die **Entscheidung, -en** decision, sentence, judgment
sich **entschließen, entschloß, entschlossen** decide, determine, make up one's mind
der **Entschluß, -sses, ⸚sse** decision; – **fassen** decide, resolve
entschuldigen excuse
die **Entschuldigung, -en** excuse
entschwinden, a, (ist) u vanish, disappear
entsprechen, a, o, i correspond to
entsprechend corresponding, appropriate
entstehen, entstand, (ist) entstanden arise, originate
enttäuschen disappoint
die **Enttäuschung, -en** disappointment
entweder ... oder either . . . or
entwest cleaned, purged; disintegrated
entwickeln develop
die **Entwicklung, -en** development
entziehen, entzog, entzogen pull, keep away (from)
entziffern decipher
das **Entzücken** delight, enchantment
entzünden light, ignite; inflame

entzwei-reißen, riß entzwei, entzweigerissen tear in two, rip apart

das **Erbarmen** pity, mercy, compassion

erblicken perceive, see, behold

die **Erbsensuppe, -n** pea soup

die **Erde, -n** earth

das **Erdloch, ²er** fox hole

erdrücken crush, crush to pieces

der **Erdteil, -e** continent

sich **ereignen** take place, happen

das **Ereignis, -ses, -se** event, occurrence, incident

erfahren, u, a, ä learn, find out; experience

die **Erfahrung, -en** experience, practical knowledge

erfassen seize, grasp

erfinden, a, u invent

die **Erfindung, -en** invention, fabrication

der **Erfolg, -e** success; effect

das **Erfordernis, -ses, -se** exigency, requisite

erfüllen fill, fill up

die **Erfüllung** fulfilment, realization

ergeben, a, e, i produce, yield; **sich –** follow, become evident

das **Ergebnis, -ses, -se** outcome, result; product

sich **ergehen, erging, ergangen** dwell upon, indulge in

ergießen, ergoß, ergossen gush forth, empty into; break out

ergreifen, ergriff, ergriffen seize

ergründen explore, fathom, probe

erhalten, ie, a, ä receive, get

erhaschen catch, seize

erheben, o, o raise, lift, elevate

sich **erheben, o, o** raise, pick oneself up, rise

erhellen light up, clear up, brighten

erhoffen hope for, anticipate, expect

erhöhen increase, raise

sich **erholen** recover, improve

erinnern remind; **sich –** remember

die **Erinnerung, -en** memory, remembrance

erinnerungsgereinigt brain-washed

sich **erkälten** catch cold

erkennen, erkánnte, erkannt recognize, make out

erkennbar discernible, perceptible

die **Erkenntnis** perception, understanding

erklären explain; declare

die **Erklärung, -en** explanation

erklimmen, o, o climb up, scale

erklingen, a, (ist) u sound, resound, play

sich **erkundigen** inquire

erlauben permit

erleben experience

die **Erledigung, -en** execution, completion, release

ermahnen admonish

ermüden tire, wear out

ernähren feed, nourish

ernst serious, earnest

ernsthaft serious, earnest

ernstlich serious, earnest

erobern conquer

eröffnen open, inaugurate

erpicht bent (upon), eager (for)

erraten, ie, a, ä solve, guess

erregen arouse, excite

die **Erregung, -en** agitation, excitement

erreichen reach, attain; arrive at

erringen, a, u achieve, obtain

erscheinen, ie, (ist) ie appear

die **Erscheinung, -en** appearance; phenomenon

erschöpft exhausted

die **Erschöpfung, -en** exhaustion

erschrecken frighten, scare

erschrecken, a, (ist) o, i be frightened

erschüttern convulse, shake violently

ersichtlich obvious, evident

erst not until; at first; only

das **Erstaunen** astonishment

erstaunlich remarkable, astonishing

erstaunt astonished

ersteigen, ie, ie climb, ascend, scale

ersticken stifle, suppress; smother, choke

erstklassig first class

sich **erstrecken** extend, run, stretch

ertappen catch

ertönen, (ist) resound, sound

sich **erübrigen** be superfluous, unnecessary

erwachen, (ist) awaken, wake up

erwägen, o, o consider, weigh, ponder

erwähnen mention

erwärmen warm, heat
erwarten wait for, expect
sich erwehren (*gen.*) defend oneself against, keep off
sich erweisen, ie, ie prove
erweitern enlarge, expand
die Erwerbung, -en acquisition
erwidern reply
die Erwiderung, -en reply
erwischen catch
der Erzähler, – storyteller, narrator
erzeugen produce
Ess = Sss (*sibilant sound*)
eßbar edible
die Estafette, -n express coach, relay
ethisch ethical
die Etikette, -n label
etlich(e) some, several; – Male now and then
die Etüde, -n etude, musical exercise
etwa approximately, about; perhaps
etwas something; somewhat
die Evakuierung, -en evacuation
ewig eternal
die Ewigkeit eternity
die Existenz, -en existence
existieren exist

fabulieren fabricate, spin a tale
das Fach, ·̈er discipline, field
die Fähigkeit, -en capability
die Fahne, -n banner, flag
fahren, u, (ist) a, ä ride, travel, drive; was ist in ihn gefahren what has got into him; er fuhr in den Mantel he slipped into his coat
der Fahrer, – driver
das Fahrrad, -räder bicycle
die Fahrt, -en trip, drive
das Fahrzeug, -e vehicle
der Fall, ·̈e case
faltig wrinkled, folded
fangen, i, a, ä catch
die Farbe, -n color; paint
farbig colored
farblos colorless
fassen grasp, take hold of, seize
fast almost
fatal annoying, unfortunate
der Faulpelz, -e lazybones, sluggard, loafer

die Faust, ·̈e, fist; auf eigene – on one's own
die Fayence, -n type of glazed pottery
das Federlesen fawning, servility; ceremony; nicht viel Federlesens machen make short work, shrift of
federnd springy, light
fehlen be lacking, absent
fehlerfrei faultless, flawless, accurate
die Feier, -n festival, celebration
fein fine
das Feld, -er field of action, field
die Feldkabel, -n field telephone
die Feldkabelleitung, -en field telephone line
die Feldküche, -n field kitchen
die Feldflasche, -n canteen, water bottle
der Feldwebel, – sergeant
der Feldweg, -e lane, trail
der Feldzeugmeister, – general of ordnance
der Fels, -en, -en rock, crag
die Felswand, ·̈e rock face, rock wall
fern distant, far away
die Ferne remoteness, distance
ferner furthermore
ferngelenkt remote-controlled, guided
ferngesteuert remote-controlled
das Fernglas, ·̈er binoculars
die Ferse, -n heel
fertig ready; finished; – bringen carry out, accomplish
fesseln absorb, fascinate
fest firm, solid
das Fest, -e festival, feast, holiday
der Festausschuß, -schusses, -schüsse festival committee
das Festland, -e mainland
fest-legen establish, fix, determine
die Festlichkeit, -en solemnity, festivity
fest-setzen arrange, determine, stipulate
die Festung, -en fortress
das Fett, -e fat, corpulence
der Fetzen, – rag, shred
feucht damp
feuchten moisten
der Feuerbefehl, -e fire order
feuern fire (weapon)
das Fieber, – fever
der Fingersatz, ·̈e fingering

finster gloomy, ominous
die **Finsternis** obscurity, darkness, gloom
das **Fischerdorf, ⸚er** fishing village
der **Fixierlack, -e** fixing, setting polish
die **Flanke, -n** flank, side
die **Flasche, -n** bottle
flattern dangle
fleckig mottled, spotted
flehend imploring, pleading
fleißig diligent
die **Fliege, -n** fly
das **Fließband, ⸚er** conveyor belt
flimmernd vibrating; sparkling
das **Flittchen, –** frivolous, "fast" girl, tramp
der **Flötenspieler, –** flutist
flott smart, gay
der **Fluch, ⸚e** curse, imprecation, malediction
die **Flucht, -en** flight, escape
fluchtartig in full flight
flüchtig fleeting, cursory
der **Flügel, –** wing; grand piano; fender
der **Flugkörper, –** space vehicle
flunkern brag; lie
der **Flur, -e** hall, vestibule
flüssig liquid
flüstern whisper
die **Flut, -en** flood, torrent
förmlich downright, real
fort away, forth
fort-fahren, u, a, ä continue
der **Fortgang** continuation, progress
fortlaufend continuous
der **Fotoapparat, -e** camera
fraglich questionable
französisch French
die **Fratze, -n** grimace, mug
die **Frechheit, -en** impudence, insolence
der **Freiflugschein, -e** free air ticket
frei-geben a, e, i release, set free
die **Freiheit, -en** freedom
freilich to be sure
frei-stehen, stand frei, freigestanden be free, open; **es steht Ihnen frei** it is up to you, you are free to
die **Freiübung, -en** calisthenics
freiwillig voluntary
fremd strange, foreign
der **Fremde, -n -n** stranger
der **Fremdling, -e** stranger, foreigner

die **Freude, -n** joy
der **Freundinnenblick, -e** glance, look (of a feminine friend)
die **Freundschaft, -en** friendship
frevelhaft malicious, criminal
der **Frieden, –** peace
friedlich peaceful
frieren, o, o freeze; **es fror ihn** he was freezing
frisch recent, new, fresh
die **Frist, -en** interval, period, space of time
froh glad, happy
frohgelaunt in a gay mood
fröhlich gay, cheerful, happy
fromm devout, pious
die **Front, -en** front, frontage
der **Frost, ⸚e** cold, chill, frost
fröstelnd shivering, chilly
die **Frucht, ⸚e** fruit
der **Fruchtsaft, -säfte** fruit juice
die **Frühe** early morning (hour)
frühstücken breakfast
frühzeitig in good time, early
das **Fuder, –** load, cartload
sich **fühlen** feel
führen conduct, lead; have; carry
das **Fuhrwerk, -e** wagon, cart
füllen fill
der **Fundamentalsatz, -sätze** fundamental principle
die **Furcht** fear
fürchten fear
fürwahr truly, indeed
der **Fußgänger, –** pedestrian
die **Fußsohle, -n** sole of the foot

die **Gabe, -n** gift, alms
gähnen yawn
der **Gang, ⸚e** corridor; course, action, process, motion
ganz quite; entire
gänzlich complete, total, entire
gar absolutely; at all, even
die **Gasflamme, -n** gas flame, jet
die **Gaskrone, -n** gas chandelier
der **Gast, ⸚e** guest
die **Gattung, -en** type, genus
geballt clenched
die **Gebärde, -n** gesture, gesticulation
das **Gebirge, –** mountain range, highlands

gebrauchen use
gebräuchlich ordinary, usual
gedämpft softened, muffled
der **Gedanke, -ns, -n** thought, idea
gedankenlos thoughtless
die **Gedankenverbindung, -en** mental association
die **Geduld** patience
geduldig patient
geeignet suitable, proper
die **Gefahr, -en** danger
gefährden endanger
die **Gefährdung** danger, endangering
gefährlich dangerous
das **Gefäll, -e** drop, incline, slope, gradient
gefallen, gefiel, gefallen, gefällt please, be pleasing to; **das gefällt ihr** she likes that
gefälligst kindly, if you please
gefallsüchtig coquettish
gefangen-nehmen, a, o, i take prisoner
der **Gefängnishof, ⸚e** prison courtyard
gefaßt composed
das **Gefecht, -e** combat, action
das **Gefechtsgelände** combat terrain
der **Gefechtslärm** din, noise of combat
der **Gefechtsstand, ⸚e** command post
die **Gefechtsübung, -en** mock battle
gefügig docile
das **Gefühl, -e** feeling
das **Gegenbild, -er** contrast, antitype
die **Gegend, -en** region, area
der **Gegendruck, ⸚e** counter pressure
gegeneinander against one another
der **Gegenstand, ⸚e** object
das **Gegenüber, –** person opposite (as at table)
die **Gegenwehr** resistance, defense
der **Gegner, –** opponent
geheim secret
gehoben elevated, high style
das **Gehöft, -e** farmstead, farm
das **Gehirn, -e** brain; sense
gehorchen (*dat.*) obey
gehören belong (to); **viel Kraft gehört dazu** much strength is required for that
der **Gehörnansatz, -ansätze** beginning of the horns
die **Geigenschnecke, -n** violin scroll

der **Geigenstrich, -e** violin bowing
der **Geist, -er** spirit
geklemmt pressed, squeezed
gekrümmt bent, curved
das **Gelächter** laughter
das **Gelände** terrain
das **Geländer, –** railing, guard rail
der **Geländewagen, –** jeep; cross-country vehicle
gelangen, (ist) arrive, reach, get to
gelangweilt bored
der **Geldschein, -e** bank-note, currency
gelegen situated, located
die **Gelegenheit, -en** opportunity
gelenkig flexible, pliant
gelegentlich incidental, occasional
gelernt trained, expert
der **Geliebte, -n, -n** lover
gelingen (*dat.*), **a, (ist) u** succeed (in); **es gelingt ihm** he succeeds
gelten, a, o, i have the reputation; be valid, hold
gelüsten long for, desire
gemein common
gemeinsam common
der **Gemeinschaftsraum, -räume** community, public room
die **Gemse, -n** chamois
das **Gemurmel** muttering, murmuring
genau precise, exact
der **General, -e** *or* **⸚e** general
genießen, genoß, genossen enjoy
genötigt obliged, forced; **sahen sich –** felt obliged
genug enough
genügen suffice
die **Genugtuung** satisfaction, compensation
der **Genuß, Genusses, Genüsse** pleasure, enjoyment
geordnet lined up
gerade just, exact; straight
geradeaus straight ahead
geradezu frankly, candidly; directly
gerändert framed, outlined
das **Gerät, -e** equipment, apparatus
geraten, ie, (ist) a, ä fall, get in; team up with; (*with dat.*) turn out well
das **Geratewohl (aufs)** at random
das **Geräusch, -e** noise
geräuschlos noiseless

die **Geräuschuntermalung** sound track (background)
gerecht fair, just
das **Gerede** talk; rumor
gereizt irked, irritated
das **Gericht, -e** course, dish
gerichtet directed
gering slight, scanty
gerinnen, a, (ist) o curdle, congeal
das **Geröllfeld, -er** field of gravel, pebbles
die **Geröllhalde, -n** gravel slope, hillside
das **Gerücht, -e** rumor
gerupft plucked, "taken"
gesamt total, complete
der **Gesang, ⸚e** song
die **Geschäftigkeit** activity; officiousness
der **Geschäftsführer, –** manager
geschehen, a, (ist) e, ie happen, take place
gescheit clever, shrewd, intelligent
das **Geschick, -e** fate, destiny
das **Geschimpfe** nagging; abuse
das **Geschoß, -schosses, -schosse** missile, projectile
das **Geschrei, -e** screaming, shrieks
geschunden exploited, "fleeced", flayed
die **Geschwindigkeit, -en** speed
gesegnet blessed
gesellig sociable, chummy
das **Gesetz, -e** law
das **Gesicht, -er** face
der **Gespiele, -n, -n** playmate
das **Gespräch, -e** conversation
gestaffelt staggered; echeloned
die **Gestalt, -en** figure, form, character
gestanden admitted, confessed
der **Gestank, ⸚e** stench, bad smell
gestatten permit, allow
das **Gestein, -e** rock, rocks, stone
die **Geste, -n** gesture
das **Gestirn, -e** heavenly body; star, stars
das **Getöse** din, turmoil
das **Getränk, -e** drink
das **Getrappel** sound of hoofs
gestrig yesterday's, yesterday
gestützt supported
gesund sound, healthy, wholesome
die **Gesundheit** health, soundness
das **Getümmel** tumult, turmoil
gewachsen sein be equal to, a match for

gewahren become aware of, see
der **Gewährsmann, -leute** informant, authority
gewaltig mighty, powerful
das **Gewicht, -e** weight
gewichtig important, weighty; forcible
das **Gewimmel** swarm, throng
der **Gewinn, -e** winning, gain
gewinnen, a, o gain, win; **ich kann es nicht über mich gewinnen** I can not bring myself (to)
gewiß certain
das **Gewissen, –** conscience
sich **gewöhnen (an)** be, become accustomed (to)
gewöhnlich usual, customary
gewölbt arched
das **Gewühl** tumult, crowd
gezielt target-conscious, purposeful
die **Gier** eagerness, greed
der **Gießbach, ⸚e** mountain torrent
gießen, goß, gegossen pour
giftig spiteful, furious
der **Ginster, –** furze
der **Gipfel, –** summit, peak
glänzen shine, glisten
glanzlos dull, lustreless
gläsern glassy
der **Glasschrank, -schränke** glass cabinet
glatt smooth, slippery
glatt-streichen, i, i rub smooth, smooth out
gleich same, equal; right away, immediately
gleichbedeutend equivalent, synonymous
gleichen (*dat.*) **i, i** resemble
gleichfalls likewise, in like manner
die **Gleichheit** equality
das **Gleichmaß** uniformity; regularity
gleichmäßig regular, uniform
gleichmütig calm, even-tempered
gleichsam almost, as it were, as if
gleichviel no matter, all the same
gleichzeitig simultaneous
das **Gleis(e), -e** rut
gleiten, glitt, (ist) geglitten slide, glide
das **Gleitkettenrasseln** rattling of armored vehicle treads

das **Glied, -er** file (military)
glimmen, o (glimmte), o (geglimmt) glow, glimmer
glitzern glisten, sparkle
die **Glocke, -n** bell
glosen glow
die **Glosse, -n** sarcastic comment
das **Glück** happiness; good fortune; luck
glücklicherweise fortunately
glühend burning
gnädig kind, merciful
die **Goldammer, -n** yellow-hammer
die **Göttergrausamkeit, -en** divine cruelty
die **Gottheit, -en** divinity
göttlich divine
der **Grad, -e** degree
der **Graf, -en, -en** count
das **Grammophon, -e** grammophone, phonograph
das **Grauen** dawn; gray color; horror, terror
die **Grausamkeit, -en** cruelty; horror
greifen, griff, gegriffen grab, grasp
greis aged, venerable; senile
grell glaring
die **Grenadierkompagnie, -n** grenadier company
die **Grenze, -n** boundary, limit, frontier
griechisch Greek
der **Griff, -e** grasp, hold
die **Grille, -n** cricket
der **Grimm** fury, rage, anger
grinsen sneer, smirk, grin
das **Gros** main body, bulk
großartig splendid, imposing
die **Größe, -n** value, power, magnitude
großmaschig wide-meshed
der **Grund, ⁔e** reason; **im Grunde** basically; **auf –** on the basis
der **Grundsatz, -sätze** principle, axiom
die **Gruppe, -n** squad; group
die **Gulaschkanone, -n** field kitchen, "goulash cannon" (slang)
der **Gummidelphin, -e** rubber dolphin
das **Gummitier, -e** rubber animal
der **Gurt, -e** belt, strap
gutherzig kind-hearted, good-hearted

der **Hafen, ⁔** harbor, port
der **Hahn, ⁔e** tap, faucet
der **Haken, –** hook

der **Halbkreis, -e** semicircle
die **Halde, -n** slope
die **Hälfte, -n** half
der **Hals, ⁔e** neck, throat
der **Halt, -e** support; hold; stability
halten, ie, a, ä hold; halt; **– für** take, consider as
die **Haltestelle, -n** stop (bus, etc.)
haltlos unsteady, loose, uncontrolled
die **Haltung** bearing, attitude
die **Handbewegung, -en** gesture, hand movement
sich **handeln um** be a question of, concern
die **Handfläche, -n** palm, flat of the hand
der **Handgriff, -e** handle, grip, manipulation
handhaben, handhabte, handhabt manipulate, operate, handle
der **Hang, ⁔e** slope
hangen, i, a, ä hang
hängen hang
das **Harmonium, Harmonien** harmonium
hart hard; close by
die **Härte, -n** harshness, temper, severity
der **Haß** hate, hatred
hassen hate
häßlich ugly; unappetizing
hastig hurried, hasty
der **Hauch, -e** breath; touch
häufen accumulate, pile up, increase
häufig frequent
das **Haupt, ⁔er** head
die **Hauptsache, -n** main point; **in der –** chiefly, in the main
hauptsächlich main, principal
der **Hausflur, -e** hall, vestibule
die **Haut, ⁔e** skin
der **Hebel, –** lever
der **Hebelgriff, -e** lever handle
heben, o, o lift, raise
die **Hecke, -n** hedge
heftig vigorous, violent
die **Heide, -n** heath, moor, heather
der **Heidebewohner, –** inhabitant of the heath, heath-dweller
die **Heidelandschaft, -en** heath landscape
heidnisch heathen
heilen heal
heilig holy, sacred

das **Heilmittel, –** remedy
das **Heimatlazarett, -e** rear area (zone of interior) military hospital
der **Heimatort, -e** home place
die **Heimverwaltung, -en** administration, management (of the home for the aged)
der **Heimvorsteher, –** supervisor, superintendent (of the home for the aged)
heiraten marry
heiser hoarse
heißen, hieß, geheißen be called; mean; **es hatte „man" geheißen** they had said "one."
die **Heiterkeit** cheerfulness; serenity
hektisch hectic
der **Held, -en, -en** hero
hellicht broad daylight
die **Helligkeit, -en** brightness, intensity; splendor
das **Hemd, -en** shirt
hemmen inhibit, restrain, curb
herab-lassen, ließ herab, herabgelassen, läßt herab condescend, deign
heran-rasen rush madly onward, forward
heran-rauschen, (ist) swish, splash up; roar, thunder up
(sich) **heran-schieben, o, o** push onward, shove forward
heran-spulen reel up, wind past, unfold
herauf-beschwören cause, conjure up
die **Herausforderung, -en** challenge, provocation
heraus-strecken stick out
herbei-humpeln (ist) limp up
herbei-schaffen fetch
herbei-schwimmen, a, (ist) o swim by
herbei-stürzen, (ist) plunge, rush up
die **Herde, -n** herd
der **Herdeninstinkt, -e** herd instinct
der **Herdrand, ⁻er** edge of range, stove
herein-fallen, fiel herein, (ist) hereingefallen, fällt herein be taken in; come to grief, fall into trap
herein-legen deceive, take in
her-laufen, ie, (ist) au, äu run near, close to

herreißend pulling, tearing along
herrlich splendid
herrschen prevail
herum around
herum-kriegen persuade, talk into
sich **herum-wälzen** wallow, toss around
herunter-sausen, (ist) zoom down
hervor-hangen, i, a, ä hang out
hervor-ragen stand out, project; rise above
hervor-rufen, ie, u cause
hervor-stoßen, stieß hervor, hervorgestoßen snap, say curtly; shove, thrust forth (forward)
herzlich cordial, hearty
die **Herzmuschel, -n** cockle
der **Herzog, ⁻e** duke
der **Herzschlag, ⁻e** heart failure, attack
herzu up, up to, here, near
das **Heu** hay
die **Hexe, -n** witch
hierher (to) here
die **Hilfe** help
der **Hilfsdienst, -e** support, back up staff
der **Hilfssanitäter, –** auxiliary medical corpsman
der **Himmel, –** heaven; sky
die **Himmelsrichtung, -en** point of the compass, direction
hin und her back and forth
hinab-rollen, (ist) roll, rumble down
hinauf up, upward
hinaus out
hinaus-horchen listen
hinaus-schleudern shoot, project out
der **Hinblick, im – auf** with regard to, concerning
hindern hinder, prevent
hindurch through, across, throughout
hineinhaltend keeping aim in, at
hin-fallen, fiel hin, (ist) hingefallen, fällt hin fall down
die **Hingabe** devotion; submission
sich **hin-geben, a, e, i** yield, submit, indulge in
hin-gelangen, (ist) get at, reach
hin-gleiten, glitt hin, (ist) hingeglitten glide, slide; creep
das **Hinhören** listening, paying attention
hin-nehmen, nahm hin, hingenommen, nimmt hin accept, take

hinken limp, hobble
hinreichend sufficient
hin-schieben, o, o push toward
hin-schlendern, (ist) stroll, saunter along
das Hinterglasbild, -er *type of painting executed on back of glass plate*
der Hintere, -n, -n behind, rear
hinterlistig cunning, deceitful
das Hinterteil, -e back, backside; stern
hintrappelnd trotting, trampling across
hinunter-spülen wash down
hinweg away, off
der Hinweis, -e allusion, hint
hin-weisen, ie, ie point out, call attention to
hinzu in addition, besides; to, toward
das Hirn, -e brain
die Hirtin, -nen shepherdess
hochfahrend haughty
die Hochschule, -n college, university
höchstens at the most
hocken squat; crouch
hockengeblieben remained crouching, squatting
der Hof, ⸚e courtyard, yard; halo
die Hoffnung, -en hope
höflich polite
die Höhe, -n height, hill
der Höhenzug, ⸚e line of hills, ridge
höhlen hollow out, excavate
höhnisch scornful, sneering
holen get, fetch
das Holz, ⸚er wood
hölzern wooden
die Holzwolle excelsior, wood shavings
horchen listen, hearken
das Hörnlein, – little (postal) horn
der Hörsaal, -säle lecture room, auditorium
die Hose, -n pants
der Hoteleingang, -gänge hotel entrance
hübsch pretty, nice
der Huf, -e hoof
die Hüfte, -n hip
der Hügel, – hill
die Hülse, -n shell
die Hundstage (*pl.*) dog days
hurtig swift, quick

hüsteln clear one's throat, cough slightly
husten cough
die Hut, -en guard, care
die Hütte, -n cabin, hut
der Hüttenwirt, -e cabin keeper, proprietor

die Idee, -n idea
der Ideolog, -en, -en visionary, dreamer
das IG-Nest, -er infantry antitank (**Infanteriegeschütz**) nest; strong point
immerfort continually, constantly
immerhin still, nevertheless
immerzu continually
indes meantime, meanwhile
indessen while, meanwhile
individualistisch individualistic
die Infanterieeinheit, -en infantry unit
der Infanterieverband, -verbände infantry unit, formation
der Infanterist, -en, -en infantryman
der Inhalt contents, subject, substance, meaning
die Innenseite, -n inside, innerside
innerhalb (*gen.*) inside of
inmitten in the middle of
innen inside, within
innerhalb (*gen.*) within
innig intimate
der Insasse, -n, -n inmate
die Insel, -n island
sich interessieren (für) be interested (in)
inzwischen meanwhile
irgendein some, some kind of
irgendwann sometime
irgendwer someone, anyone
irgendwie somehow, anyhow
irgendwo somewhere, anywhere
der Irrtum, ⸚er error, mistake
isoliert rubbed (insulated)

ja indeed, to be sure, yes
die Jacke, -n jacket
die Jacketkrone, -n artificial crown, inlay (tooth)
die Jagd, -en hunt, chase, hunting
jagen chase; hunt; drive
der Jäger, – hunter
der Jägermond, -e hunter's, hunting moon

der **Jahrgang, -gänge** vintage; year's (recruit) class
jammern moan, wail
je ever
jedenfalls in any case
jedoch however
die **Jeepkante, -n** rim, edge of jeep
die **Jeepkette, -n** line (chain) of jeeps
jemals ever, at any time
jemand some one
jonglieren juggle
jubeln rejoice, exult, shout with joy
jucken itch
die **Jugend** youth
jugendlich youthful
der **Jüngling, -e** youth

die **Kaffeemaschine, -n** percolator, coffee maker
kahlköpfig bald, bald-headed
der **Kahlschlag, -schläge** clearing; deforestation
der **Kaiser, –** emperor
die **Kälte** cold, chill
der **Kamerad, -en, -en** comrade
die **Kammer, -n** small room
das **Kamp, -s** reservation, base
der **Kampf, ⸚e** combat, battle
die **Kante, -n** corner, edge
kantig angular, squared
kapital capital, excellent
der **Kapitän, -e** captain; *type of Opel auto*
das **Karbol = die Karbolsäure** carbolic acid
die **Karosserie, -n** bodywork, frame
die **Karte, -n** map
das **Karussell, -e** merry-go-round
der **Käse, –** cheese
katzenhaft, like a cat
kaum hardly
kehren turn
keineswegs not at all, by no means
der **Kellner, –** waiter
kennerisch expert, as a connoisseur
die **Kenntnis, -se** knowledge, information
kennzeichnen mark, characterize
der **Kern, -e** seed, kernel
das **Kerzenlicht, -er** candle light
der **Kessel, –** pocket, valley; kettle
keuchen pant, puff
kichern giggle

die **Kiemenspalte, -n** gill slit
das **Kilo, –** kilogram
der **Kindskopf, ⸚e** childish person, fool
das **Kinn, -e** chin
das **Kino** movies
das **Kirschwasser** cherry brandy
die **Kiste, -n** box, crate, chest
kitzeln tickle; flatter
kitzlig ticklish; critical, tricky
der **Klagelaut, -e** plaintive tone
klagend plaintive
klappen be successful, "work"
klappern click, rattle
der **Klappstuhl, -stühle** camp stool; folding chair
klassisch classic
klatschen clap
das **Klavier, -e** piano
kleben paste
der **Kleiderständer, –** coat (or hat) stand
die **Kleidung** clothing, dress, apparel
die **Kleinigkeit, -en** trifle, a little
klettenverfilzt bur-matted, clogged
klettern, (ist) climb
der **Kletterschluß, -schlusses, -schlüsse** climbing grip, lock
die **Kletterstange, -n** climbing pole
die **Klinge, -n** blade, sword; **über die – springen** be put to the sword
klingeln tinkle, ring
klingen, a, u sound
klobig clumsy, boorish
klopfen knock, pat
klug intelligent, clever
der **Knabe, -n, -n** boy, lad
knallen crack, detonate, burst
knapp terse, concise, brief
das **Knäuel, –** tangle, coil, ball
der **Knecht, -e** menial, slave, drudge
die **Kneipe, -n** tavern, bar
das **Knie, –** knee
die **Kniebeuge, -n** knee-bend
knitterig wrinkled, creased
der **Knochen, –** bone
die **Knospe, -n** bud
knurren grumble; snarl
der **Koffer, –** suitcase
das **Kolophonium** rosin, colophony
kommandieren order, command
das **Kommando, -s** authority, (word of) command

die **Kompanie, -n** company (military)
der **Kompa(g)niechef, -s** company commander
die **Konsequenz, -en** consequence
die **Kontrolle, -n** check, control
kontrollieren check
die **Kopfbedeckung, -en** head covering
die **Kopfhaut, -häute** scalp
das **Kopfkissen, –** pillow
kopflos confused, impetuous
kopfscheu startled, alarmed, uneasy
der **Körper, –** body
körperlich physical, bodily
die **Korpulenz, -en** fatness, obesity
der **Korridor, -e** corridor
köstlich tasty, delicious
krachen crack, crash
krächzen croak, caw
die **Kraft, ⁓e** strength, force
kräftig powerful, strong
kraftlos weak; ineffectual
krallen claw
kränkeln be sickly, ailing, in poor health
kränken offend, provoke
die **Krankenschwester, -n** nurse
der **Krankenwagen, –** ambulance
die **Kraterhaut, -häute** craterous surface
die **Krawatte, -n** cravat, necktie
die **Kreatur, -en** creature
der **Kreis, -e** circle
kreischen shriek, scream
kreisen circle, whirl about
der **Kreislauf, ⁓e** circulation
das **Kreuz, -e** cross
die **Kreuzung, -en** intersection, crossing
kriechen, o, (ist) o creep, crawl
krüppeln crush, deform, distort
die **Kruste, -n** crust, scale
der **Kübel, –** vat, pail
das **Küchenpersonal** kitchen staff, personnel, assistants
die **Kugel, -n** ball; bullet
die **Kuh, ⁓e** cow
kühn bold, audacious
die **Kulisse, -n** scene, wing (theater)
sich **kümmern (um)** worry, be concerned (about)
kummervoll doleful, sorrowful
der **Kumpan, -e** crony, companion, buddy
die **Kundschaft** clientele

künftig future, in the future
die **Kunst, ⁓e** art
der **Künstler, –** artist
künstlerisch artistic
künstlich artificial
kunstvoll artistic
die **Kurve, -n** curve
die **Kürze** shortness, brevity; **in –** shortly, soon
kürzen shorten
kurzerhand abruptly
kürzlich recently; **erst –** only recently, not long ago
kurzweilig amusing, entertaining
die **Kusselkiefer, -n** pine (**Kusselkiefer** *regional designation of type of pine*)
die **Kusselkiefernschonung, -en** pine nursery, plantation of young pine trees

lächeln smile
lächerlich ridiculous, comical
die **Lächerlichkeit** ridicule, absurdity
der **Lachs, -e** salmon
der **Lack, -e** lacquer, varnish
die **Lackierung, -en** lacquer, varnish
die **Lage, -n** location, situation, position
sich **lagern** lie spread out, be grouped about
lähmend paralyzing, disabling
lallen babble, speak drunkenly
landesüblich customary, usual
die **Landschaft, -en** landscape
das **Landschaftsbild, -er** scene, landscape
die **Landung, -en** landing
die **Langeweile** boredom, tediousness
langgezogen drawn out; **rief –** called vigorously
langsam slow
der **Langstreckenflug, -flüge** long-distance flight
langweilig boring, tedious
der **Lärm** noise, din
lässig careless, negligent
die **Lässigkeit** nonchalance, carelessness
das **Laster, –** vice
die **Latsche, -n** dwarf pine
das **Laub, -e** foliage, leaves
der **Lauf, ⁓e** course, track
der **Laufpaß, -passes, -pässe** dismissal, walking papers

die **Laune, -n** humor, mood
lauschen listen
lauter nothing but, only
lautlos noiseless
die **Lawine, -n** avalanche
lebendig living
die **Lebensdaten** (*pl.*) life particulars, facts, data; (das **Datum** date)
die **Lebensgefahr** mortal danger
die **Lebenskunst** art of living
lebenslänglich life long
der **Lebensmut** energy, high spirits, exhilaration
die **Leber, -n** liver
das **Lebewesen, –** living being, creature
lebhaft lively, vivacious
die **Leblosigkeit** dullness, lifelessness
der **Lebtag** all the days of one's life
die **Ledertasche, -n** leather bag
lediglich only, merely
leer empty
die **Leere** emptiness, vacancy, void
(sich) **lehnen** lean
lehren teach
die **Lehrmethode, -n** instructional method
der **Leib, -er** body
der **Leichnam, -e** corpse, remains
die **Leichtmetallbahre, -n** stretcher, litter of light metal
das **Leid** suffering
leiden, litt, gelitten suffer
die **Leidenschaft, -en** passion
die **Leier, -n** lyre
leis(e) soft, quiet
leisten perform, carry out
lenken direct, guide
die **Lerche, -n** lark
das **Lerchengedudel** tooting, piping of larks
der **Lerchengesang, ˑe** song of larks
lesbar legible
leuchten gleam, shine
die **Leuchtschrift, -en** illuminated sign, neon lettering
die **Leute** (*pl.*) people, folks
licht light (colored)
das **Licht, -er** light; illumination
lichterloh blazing, ablaze
das **Lichtgesprenkel, –** sprinkling of light, mottled light

der **Liebhaber, –** lover; admirer
liefern furnish, supply
der **Likör, -e** liqueur
das **Linieninfanterieregiment, -er** infantry line regiment
links um left turn
das **Lippenrot, -e** red lipstick
die **List, -en** craftiness, cunning, ruse
die **Liste, -n** list
listig sly, crafty
loben praise
locken lure, entice
locker slack, loose
lockern loosen, slacken
der **Lohn, ˑe** reward, pay
das **Lokal, -e** tavern, bar
losen draw lots
lösen solve
sich **lösen** get loose, free oneself
los-gehen, ging los, (ist) losgegangen charge, attack, fly at
los-ziehen, zog los, (ist) losgezogen run away
der **Löwe, -n, -n** lion
das **Luch, -e** bog, marsh
die **Luftwaffe, -n** airforce
die **Lüge, -n** lie, prevarication
lügen, o, o lie, prevaricate
die **Lust, ˑe** inclination, fancy, desire; joy, pleasure
das **Lüsterjäckchen, –** glossy jacket
lustig amusing, merry

machen do, make, say
das **Magazin, -e** magazine (*of gun*)
die **Mahlzeit, -en** meal, meal-time
die **Makaberhütte** Macaber Cabin
mal = einmal
malen paint
der **Maler, –** painter
das **Malz, -e** malt
der **Mameluck, -en, -en** Mameluke
mancherlei various, sundry; various things
die **Mannschaft, -en** troops, personnel, body of men
das **Manöver, –** maneuver
das **Manövergelände** maneuver terrain
die **Manöverleitung, -en** maneuver command, control
der **Mantel, ˑ** coat

die **Manteltasche, -n** coat pocket
das **Märchen, -** fable, legend
die **Marke, -n** brand, make
die **Markise, -n** awning
der **Marmor, -e** marble
die **Marmorplatte, -n** marble top
der **Marsch, ⁚e** march
  marschieren, (ist) march
das **Marzipan** marchpane
die **Masche, -n** mesh; lucky break
  maßlos boundless, immoderate
die **Maßnahme, -n** measure; **-n treffen**
  take measures
  massenhaft enormous
  materialisiert materialized
das **Mätzchen, -** nonsense, silly idea
die **Mauer, -n** wall, battlement
das **Mäuschen, -** mousy, little mouse
die **Medaille, -n** medal, seal
das **Meer, -e** sea
die **Meereswoge, -n** billow
das **Meerungeheuer, -** sea monster
die **Mehlsauce** (flour) gravy
  mehrer (e) several
  mehrmals repeatedly
  meinen believe; say; mean
  meinesteils for my part, as far as I'm
  concerned
die **Meinung, -en** opinion, meaning
die **Meinungsverschiedenheit, -en**, dif-
  ference of opinion
der **Meister, -** master
  melden report
die **Meldung, -en** report
  melken milk
  mengen mix, blend
der **Mensch, -en, -en** human being, man
das **Menschenknäuel, -** human knot,
  crowd
die **Menschheit** humanity
  menschenleer empty, devoid of
  people
  menschlich human
  merken notice
  merkwürdig remarkable
  messen, maß, gemessen, mißt survey, study, measure
das **Messer, -** knife
die **Messung, -en** measurement, men-
  suration
das **Meter, -** meter

  metzgerhaft like a butcher
die **Miene, -n** look, expression, counte-
  nance
  milchig milky
der **Militärattaché, -s** military attaché
die **Militärschule, -n** military school
  mindest smallest, least; **zum mind-**
  esten at least
(sich) **mischen** blend, mix
der **Miterlebende, -n, -n** coparticipant
  mißmutig sullen, bad-tempered
das **Mißtrauen** mistrust, suspicion
  mit-geben, a, e, i furnish, provide in
  addition
das **Mitgefühl, -e** compassion, sympathy
die **Mitleidenschaft** sympathy; **in**
  Mitleidenschaft ziehen involve,
  effect
der **Mitmensch, -en, -en** fellow man
  mit-teilen inform, communicate
  mitteilsam communicative
das **Mittel, -** expedient, means; **sich ins -**
  legen intercede,
  mitten in the middle
die **Mitternacht, -nächte** midnight
die **Mitwirkung** assistance, cooperation
der **Mixbecher, -** cocktail shaker
  mixen mix
der **Mixer, -** mixer, bartender
die **Mixerin, -nen** mixer, woman bartender
die **Mode, -n** fashion, vogue, mode
die **Möglichkeit, -en** possibility
der **Mond, -e** moon
  mondenbleich moon-pale
  mondförmig moon-shaped, crescent
die **Mondsichel** crescent moon
die **Mondviole, -n** Lunaria; satin pod
der **Mord, -e** murder, assassination
  morden murder, slay
  morgendlich as morning, matinal
der **Motor, -en** motor, engine
das **Motorgedröhn** drone of motor
die **Motorsäge, -n** power saw
die **Motte, -n** moth
die **Möwe, -n** seagull
  müde tired
die **Mühe, -n** effort; **sich - geben** strain
  oneself
  mühsam laborious, painful
der **Mund, -e** *or* **⁚er** mouth

mundgerecht suitable, appropriate
munter lively, brisk, blithe
die Münze, -n coin
murmeln murmur
mürrisch surly, sullen, disgruntled
der Musaget, -en, -en *epithet of Apollo*
die Muschel, -n shell; mussel; mouth-
piece; – seiner Hände his cupped
hands
der Musikautomat, -en, -en juke box
die Musikbox, -en juke box
musizieren make, play music
die Muskel, -n muscle
mustern scan, examine
der Mut boldness, courage
die Mütze, -n cap
der Mythos, –, Mythen myth

nachdem after
nach-denken, dachte nach, nachge-
dacht think about, ponder, consider
nachdenklich pensive, reflective
nach-fühlen feel for, sympathize with
nach-gehen, ging nach, (ist) nachge-
gangen look into, investigate
nachgiebig pliable, yielding; com-
pliant
nachhaltig persistent; effective
nachher afterwards, later
die Nachhut rearguard
der Nachkostende, -n, -n one who
tastes or participates later
nach-lassen, ließ nach, nachge-
lassen, läßt nach slacken, fall off,
slow up
nach-lesen, a, e, ie look up (in a
book), glean
die Nachricht, -en news, piece of information
der Nachrichtenmann, -leute signalman
nach-schreien, schrie nach, nachge-
schrie(e)n scream again, scream after
nach-sprechen, a, o, i repeat, say
after
nachtfarben pitch-black
nach-weisen, ie, ie prove, demonstrate
nachweisbar evident, demonstrable
nachtblau dark blue
die Nachtschicht, -en night-shift
der Nacken, – neck

nackt bare, naked
nagen gnaw
die Nähe vicinity, nearness
sich nähern approach
nahe-rücken approach, get near
namens by the name of, named
der Namenszug, -züge signature
nämlich as a matter of fact, that is (to
say), namely
narbig scarred, pitted
narren tease, kid
naß wet
die Nässe wetness, wet, dampness
naturgetreu realistic
natürlich natural
neapolitanisch Neapolitan
der Nebel, – fog, mist, haze
nebenan close by, adjoining
nebenbei incidentally
nebenhin incidentally
neblig misty, hazy, foggy
der Neid envy, grudge
(sich) neigen incline, turn toward, bend
(over)
der Nerv, -en, -en nerve
nett nice
das Netz, -e net
die Neugier curiosity
neugierig curious
neulich recently, the other day
nicht einmal not even
nichtig vain, futile; transitory; void
die Nichtwahrheit, -en untruth
nicken nod
die Niederlage, -n defeat
nieder-stoßen, ie, o, ö knock down
niemals never
nieseln drizzle
nie never
niemand no one
die Nische, -n recess, niche
nördlich north, northerly, northern
nötig necessary
die Notiz, -en notice
die Notwehr self-defense
notwendig urgent, necessary
der Nu instant; im – in no time
nüchtern sober
nunmehr now, henceforth
die Nüstern (*pl.*) nostrils
nutzen profit by, use to advantage

ob whether
oben above, at the top
obenhin superficially
ober upper
der **Ober, –** (head) waiter
der **Oberbefehl** supreme command
der **Oberleutnant, -s** *or* **-e** first lieutenant
der **Oberst, -en, -en** colonel
obwohl although
öd (e) bare, desolate, empty
offen open
offenbar obvious, evident
offensichtlich obvious, apparent
der **Offizier, -e** officer
öffnen open
ohnehin anyhow; all the same
ohnmächtig unconscious
das **Ohrgehänge, –** earring
ölverschmiert oil-smeared
das **Opfer, –** sacrifice
der **Opfersinn** sense of sacrifice
orangefarben orange-colored
der **Orden, –** order
ordnen settle, regulate
die **Ordnung** order, regulation
die **Ordonnanz, -en** orderly
der **Ordonnanzoffizier, -e** staff officer
orphisch Orphic, esoteric
der **Ort, -e** place, spot
die **Ortschaft, -en** village, place; popu-
    lated area
Ostpreußen East Prussia
ostwärts east, eastern, easterly

ein **paar** a few, few
das **Paket, -e** package
das **PAK-Nest, -er (Panzerabwehrka-
    none)** antitank stronghold
panisch panic
der **Panzer, –** tank
die **Panzerbesatzung, -en** tank crew
der **Panzerverband, -verbände** armored
    unit, formation
Pariser Parisian
parken park
der **Partisan, -e** partisan, irregular
passen fit, correspond to, suit
passieren, (ist) happen, take place
der **Patient, -en, -en** patient
pedantisch pedantic
peinlich embarrassing; painful

die **Peinlichkeit, -en** embarrassment
peitschend lashing, beating
der **Pelz, -e** fur, fur coat
das **Pelzwerk** furs
das **Pensum, Pensen** lesson, course
persiflieren poke fun at, burlesque
das **Personal** staff, assistants, personnel
die **Persönlichkeit, -en** personality
der **Pfad, -e** path
der **Pferdewechsel** relay, change of horses
die **Pflanze, -n** plant
das **Pflaster, –** pavement
pflegebedürftig needing care
pflegen be accustomed to; care for,
    take care of
die **Pflicht, -en** duty
phantomhaft chimerical, phantom-
    like
die **Phantasie, -n** chimera; fancy, imagi-
    nation
der **Philosoph, -en, -en** philosopher
physisch physical, bodily
der **Piemontese, -n, -n** Piedmontese
die **Pistolentasche, -n** pistol holster
der **Plan, ⸚e** plan
planen plan
planmäßig according to plan
plätschern splash
die **Plattnase, -n** flatnose
der **Platz, ⸚e** place
die **Platzpatronenwolke, -n** cloud of
    blank cartridge smoke
plötzlich sudden
das **Podium, Podien** platform, podium
der **Poet, -en, -en** poet
die **Polizei** police
der **Polizist, -en, -en** policeman
polnisch Polish
posaunen proclaim, sound loud,
    trumpet
der **Postbote, -n, -n** mailman
der **Posten, –** post, position
das **Posthörnlein, –** little postal horn
der **Postjunge, -n, -n** mail boy
die **Postmütze, -n** (postal) uniform cap
potenzieren potentialize, raise to a
    higher power, involute
prächtig splendid, magnificent
prädestiniert predestined
die **Praline, -n** praline
prall plump, well-rounded

prallen bounce, rebound
präzis precise
der **Preis, -e** prize; price
preis-geben, a, e, i expose, surrender
der **Premierleutnant, -s** *or* **-e** first lieutenant
pressen press, squeeze
preußisch Prussian
der **Priester, –** priest
proben test, practice
profan secular, profane
der **Proviant** provisions, food (for trip)
prüfen appraise, test
pudern powder
der **Pullover, -s** sweater (pullover)
das **Pulver, –** powder, gunpowder
die **Pulverdampfwolke, -n** cloud of powder, smoke
der **Punkt, -e** point
punkto, in – concerning item, re
pur pure, absolute
der **Purzelbaum, -bäume** somersault; **einen – schlagen** turn a somersault
sich **putzen** preen

das **Quadratkilometer, –** square kilometer
qualmen smoulder, smoke
der **Qualmschleier, –** veil of fumes, dense smoke
quellen, o, (ist) o, i gush, flow
quer across; oblique
quirlen whirl

das **Rad, ̈er** wheel; bicycle
der **Radfahrer, –** bike rider, bicyclist
raffen gather, pull, push up into folds; **eine halb geraffte Markise** an awning half raised
der **Raketentyp, -e(n)** rocket-type
die **Rampe, -n** ramp, approach, ascent
der **Rand, ̈er** edge, border
die **Randsteinkappe, -n** curbstone crown, shoulder marker (of road)
rangältest senior, ranking
ranken creep, climb (plants)
rasch quick
rasten rest
die **Rasur, -en** shave
raten, ie, a, ä guess; advise

ratlos helpless, perplexed
ratsam advisable, expedient
die **Ratschlagung, -en** deliberation
rätselhaft enigmatic, mysterious
der **Raubwürger, –** butcherbird, shrike
rauchen smoke
das **Rauchfäßchen, –** censer
der **Raum, ̈e** space; room
räumen evacuate
der **Rausch, ̈e** intoxication, frenzy
reagieren react
die **Reaktion, -en** reaction
die **Rechenschaft, -en** account; **zur – ziehen** call to account
rechnen (mit) count (upon); anticipate
das **Recht, -e** right
rechtzeitig opportune, in (good) time, prompt
das **Reck, -e** horizontal bar
die **Rede, -n** speech, talk; **die Rede war vom Wein** the topic under discussion was wine
reden talk, speak
der **Reflex, -e** reflex, reflection
die **Regelmäßigkeit, -en** regularity
sich **regen** stir, make itself felt
der **Regierungsvertreter, –** government representative
das **Regiment, -er** regiment
der **Regimentsarzt, ̈e** regimental surgeon
reglos still, motionless
reichen reach, extend
reichlich profuse, copious
die **Reifenspur, -en** tire track, trace
die **Reihe, -n** rank, row
sich **reihen** form rows, rank
die **Reihenfolge, -n** sequence, order
rein-fegen sweep clean
reinigen purify
reißen, riß, gerissen tear, jerk
reiten, ritt, (ist) geritten ride
der **Reiter, –** rider
reizend charming
die **Reklamation, -en** complaint, protest; claim
der **Rekrut, -en, -en** recruit, conscript
die **Reling, -e** rail, railing
das **Rennen, –** race; course
rennen, rannte, (ist) gerannt run
der **Rest, -e** rest, remainder

die **Reue** remorse, regret
das **Rezept, -e** recipe
der **Rhapsode, -n, -n** rhapsodist
   rheinbündisch   Rhine Confederate
der **Rheumatismus** rheumatism
   richten direct
die **Richtung, -en** direction
   riechen, o, o smell
die **Riege, -n** section, squad
der **Riese, -n, -n** giant
   riesig gigantic, colossal
   rings all round, around
   ringsum round about
das **Rinnsal, -e** rill, small stream
   riskant risky, dangerous
der **Ritt, -e** ride
der **Roboter, –** robot, automaton
das **Röckchen, –** jacket
die **Rolle, -n** role
   rosa pink, rose-colored
das **Rosenbukett, -e** rose bouquet
der **Rosenkreuzer, –** Rosicrucian
   rötlich reddish, ruddy
der **Ruck, -e** jolt, jerk
   rückbezüglich in reverse order
der **Rücken, –** back
   rücken, (ist) move
die **Rückkehrweisung, -en** return
   order
die **Rücksicht, -en** consideration, concern
der **Rückspiegel, –** rear view mirror
   rückwärts rear, backwards, to the
   rear
   rückwärtig rear
der **Rückweg, -e** way back, return route;
   er machte sich auf den – he set
   out upon his way back
der **Rückzug, ⁈e** retreat
der **Ruf, -e** call
   rufen, ie, u call
die **Ruhe** quiet; rest, sleep
   ruhen rest
der **Ruhm** fame, reputation
(sich) **rühren** move
   rührend touching, moving
   rund round
der **Russe, -n, -n** Russian
das **Rußschwarz** sooty blackness, soot-
   black
   rütteln shake, vibrate

der **Saal, Säle** hall; gym
der **Säbel, –** broadsword, saber
die **Sache, -n** matter; thing
   sachlich pertinent; technical
der **Sack, ⁈e** sack
der **Saft, ⁈e** juice
die **Sage, -n** saga
die **Sägezacke, -n** zigzag, serrated notch,
   point
die **Sahne, -n** cream
die **Samenscheide, -n** seed pod
   sammeln collect
die **Sammelleidenschaft, -en** collector's
   passion
die **Sammlung, -en** collection
   sämtlich all, entire
   sanft gentle; smooth, soft
die **Sanftmut** gentleness, good temper
der **Sanitäter, –** medical personnel, corpsman
das **Sanitätsfahrzeug, -e** medical vehicle
der **Sanitätswagen, -** medical vehicle
   satt sufficient, enough
der **Satyr, -n** satyr
das **Satyrgesicht, -er** satyr-face
   satyrgesichtig with a satyr-face
   satyrhaft like a satyr
der **Satz, ⁈e** bound, leap; sentence;
   principle
   sauber clean
   saugen, o, o suck
die **Säule, -n** pillar, column
das **Säulenvordach, ⁈er** columned projecting roof
   sausen bluster, blow hard, roar
   schade too bad
der **Schädel, –** skull, cranium
der **Schädling, -e** pest, vermin; vile
   person
das **Schaf, -e** sheep
das **Schäfchen, –** lambkin
   schaffen accomplish, do
   schaffen, schuf, geschaffen create
die **Schafherde, -n** herd *or* flock of sheep
der **Schafhuf, -e** sheep hoof
der **Schafleib, -er** sheep body
die **Schafwelle, -n** wave of sheep
die **Schale, -n** bowl, vessel
die **Schallplatte, -n** phonograph record
   schalten direct, rule
die **Schar, -en** troop, host

scharf sharp
der **Schatten,** – shade
der **Schauder,** – shivering, shuddering
schaudernd shuddering, feeling awed
schauen look
schauerlich gruesome, horrible
der **Schaum,** ¨e foam, froth, spume
schäumend foaming
der **Schauplatz, -plätze** scene, stage
das **Schauspiel, -e** spectacle, sight, play
die **Scheibe, -n** pane
der **Schein, -e** gleam, light; appearance
scheinbar apparent; pretended
scheinweise seemingly; apparently
der **Scheinwerfer,** – headlight
der **Scheinwerferkegel,** – searchlight
   (headlight) beam
der **Schenke, -n, -n** wine pourer
schenken give, present
sich **scheren** go away, clear out, scram;
   scher dich zum Teufel go to the
   devil
das **Scherenfernrohr, -e** stereotelescope
der **Scherz, -e** trick, joke
scherzen joke, have fun (with)
die **Scheu** timidity, shyness
scheu timid, shy
scheuen shrink from, fear
die **Schicht, -en** shift; stratum
schicken send
das **Schicksal, -e** destiny, fate
schieben, o, o shove
schief crooked, oblique; – **gehen** go
   wrong
schießen, schoß, geschossen shoot
schiffbrüchig shipwrecked
der **Schimmer,** – gleam, shine
schimmern glisten, gleam
schirmen shield, protect
die **Schlacht, -en** battle, engagement
schlaff slack, careless
der **Schlag,** ¨e blow, crack
der **Schlagladen, -läden** shutter; storm
   shutter
das **Schlagzeug, -e** percussion (instru-
   ments); rhythm section
die **Schlängellinie, -n** serpentine, winding line
der **Schlängelweg, -e** serpentine, winding
   path
schlapp slack, flabby, limp, tired

schlau sly, cunning
schlechthin simply, quite; absolutely
die **Schleife, -n** loop, curve
schlendern, (ist) saunter, stroll
die **Schleppe, -n** train (of a dress)
schleudern hurl, throw
schließen, schloß, geschlossen close,
   end
schließlich final, after all
der **Schlitten,** – sleigh
die **Schlucht, -en** ravine, gully, defile
schluchzen sob
der **Schluck, -e** sip, gulp, "slug"
schlüpfrig slippery
der **Schluß, -sses,** ¨sse end, conclusion
der **Schlüssel,** – key
die **Schlußstunde, -n** closing time, hour
die **Schmach** insult, outrage; humiliation
schmal narrow
der **Schmerz, -en** pain
schmerzen pain
schminken rouge, use make-up
schnappen catch, arrest
der **Schnaps,** ¨e liqueur, brandy, gin
schnarren jar, rasp
schnaubend blowing, puffing
schnaufen pant
die **Schnauze, -n** snout
das **Schneckengehörn,** -e snail-shaped
   horns
das **Schneehuhn,** ¨er ptarmigan
schneiden, schnitt, geschnitten cut
der **Schnurrbart,** ¨e moustache
schonen protect, care for; spare
die **Schönheit, -en** beauty
schön-tun, tat schön, schöngetan
   flirt; pose; make up (with)
schräg slanting, sloping, oblique
schrägstehend slanting, oblique
der **Schreck, -e** terror, fright
der **Schrei, -e** scream, shriek
schreien, ie, ie scream
schreiten, schritt, (ist) geschritten
   stride, step
die **Schrift, -en** writing
der **Schritt, -e** step
das **Schuhwerk** footwear
schuld guilty
schulen train
die **Schulter, -n** shoulder
die **Schulung, -en** training, schooling

das **Schurren** sliding, gliding
die **Schürze, -n** apron
der **Schürzenbund, ⸚e** apron string
der **Schürzenlatz, ⸚e** apron flap
die **Schußsalve, -n** volley, salvo
die **Schußwunde, -n** bullet wound
schütteln shake, agitate
schütten pour
schüttern tremble, vibrate
der **Schutz** protection
schützen protect
schwach weak
die **Schwäche, -n** weakness
der **Schwager, ⸚** brother-in-law
schwammig soft, puffy, bloated
schwanken sway, shake; hesitate
die **Schwanzflosse, -n** tail fin
der **Schwarm, ⸚e** swarm, cluster
das **Schwärmerauge, -n** dreamy, visionary eye
das **Schwarze Brett** (die **Bretter**) bulletin board
schwatzen chatter
schwappen smack, splash
schweigen, ie, ie be silent
schwellen, o, (ist) o, i swell, puff up
schwerfällig ponderous, cumbersome, sluggish
schwermütig melancholy
die **Schwerpunktfrage, -n** crucial, critical question
schwierig difficult
die **Schwierigkeit, -en** difficulty
schwimmen, a, o swim
schwindelnd being giddy, dizzy
schwinden, a, (ist) u shrink, atrophy, dwindle, vanish
die **Schwindsucht** consumption
sich **schwingen, a, u** leap, vault, swing
die **Schwingung, -en** swinging
schwitzen sweat, perspire
schwören, u (o), o swear, take an oath
der **Schwung, ⸚e** swing, verve
der **Secondeleutnant, -s** or **e** second lieutenant
das **Seebad, ⸚er** seaside resort
der **Seegreis, -en, -en** old man of the sea
die **Seele, -n** soul
die **Seeschlange, -n** sea serpent
das **Segel, –** sail, canvas

die **Sehnsucht** yearning, pining
sehnsüchtig yearning; ardent
die **Seide, -n** silk
seinerseits in his turn, for his part
die **Seite, -n** side; page
selbfreund like two friends
selbständig self-reliant, independent
selbstverständlich obvious, self-evident
der **Selbstzweck** end in itself
seltsam strange
die **Senke, -n** depression, low ground
senken drop, sink
der **Serpentinenweg, -e** serpentine, winding path
servieren serve
die **Serviette, -n** napkin
serviettengeschwänzt napkin-tailed
der **Sessel, –** chair, armchair
seufzen sigh
der **Seufzer, –** sigh, groan
sicher certain, sure
sicherlich sure, certain
die **Sicht** visibility, sight
sichtbar visible
sichtlich evident, obvious
das **Sieb, -e** screening, sieve
die **Sieben** number 7 (route) streetcar
der **Sieg, -e** victory
der **Sieger, –** victor
silbern silver
silbrig silver
der **Simulant, -en, -en** malingerer
sinken, a, (ist) u sink
der **Sinn, -e** sense, meaning
das **Sinnbild, -er** symbol
sinnlos pointless, senseless
die **Siphonflasche, -n** siphon (carbonated water) bottle
der **Sitz, -e** seat
die **Skepsis** scepticism
skrupelvoll scrupulous
der **Smoking, -s** dinner jacket, tuxedo
sobald as soon as
soeben just, just now
sofort immediately
sogar even
sogleich immediately, instantly
die **Sogwelle, -n** suction wave, undertow
der **Sommergast, -gäste** summer guest
sonderbar strange, curious

sonderlich remarkable, peculiar
das **Sonnensegel, –** awning
sonst otherwise
sonstig other, remaining
die **Sorge, -n** concern, care, worry
die **Sorgfalt** care, attention, conscientiousness
sorgfältig careful
die **Sorglosigkeit** state of being carefree
sorgsam careful
sozusagen as it were, so to speak
spannen strain, make tense, tighten
die **Spannung, -en** suspense; tension
die **Sparkasse, -n** savings bank
der **Spaß, -es, Späße** joke, jest; fun
der **Spaßvogel, -vögel** joker, wag
späterhin later on, subsequently
spazieren-gehen, ging spazieren, (ist) spazierengegangen go walking, take a stroll
der **Speichel, –** saliva
das **Speichellecken** sycophantism, fawning, toadying
die **Speise, -n** food
das **Speiseeis** ice cream
die **Speisekarte, -n** menu
die **Sperrzone, -n** barrier, restricted area, zone
die **Spezialschulung, -en** special training
die **Spezialwaffe, -n** special weapon
die **Stiefelsohle, -n** shoe, boot sole
spät late
der **Spiegel, –** mirror
spiegeln mirror, reflect
das **Spiel, -e** play, playing
spielen flash; play
der **Spielgefährte, -n, -n** playmate
spinnen, a, o spin; "have big ideas"
spiralig spiral
spitz caustic; sarcastic
der **Spitzbube, -n, -n** rascal, swindler
die **Spitze, -n** head, point, tip
der **Spott** scorn, ridicule, mockery
die **Sprache, -n** language
springen, a, (ist) u jump, spring
der **Spritverbrauch** fuel consumption
die **Spritze, -n** squirt, injection
spritzen squirt, spray
spucken spit
spukhaft ghostly, spooky
die **Spule, -n** reel

spülen wash (up); flush, rinse
das **Spülicht** slops, dish water
spüren notice, feel
der **Staat, -en** state, country
die **Staatsführung** government authorities
der **Stab, ⸚e** staff
die **Stahlinsel, -n** island of steel
stammen originate
stammeln stammer, stutter
ständig constant
die **Stange, -n** pole
stark strong
starr rigid, stiff, fixed
die **Starre** stiffness, obstinacy
starren stare
der **Start, -s** take-off, start
starten, (ist) start, take off
startklar ready for liftoff, A-OK
statt-finden, a, u take place
der **Staub** dust; powder
staubig dusty
die **Staubwolke, -n** dust cloud
sich **stauen** to become obstructed; choked
stechen, a, o, i pierce, sting; **du hast mir ins Auge gestochen** you caught my fancy, appealed to me
stecken put, stick
stecken, stak, gesteckt stick, be located
der **Steckschuß, -sses, ⸚sse** bullet wound
stehlen, a, o, ie steal
steif stiff
steil steep
der **Steilhang, ⸚e** precipice, steep slope
steigen, ie, (ist) ie climb
der **Stein, -e** stone
der **Steinblock, ⸚e** boulder
das **Steingehänge, –** jeweled earring (pair)
die **Steinlawine, -n** avalanche of stones
der **Steinschlag, ⸚e** falling stones, rock
die **Stelle, -n** place, location; **zur – sein** be present
die **Stellung, -en** position
stellungslos unemployed
stemmen support, prop; **ich hatte die Hand in die Hüfte gestemmt** I had put my hand on my hip
sterblich mortal
die **Stetigkeit** constancy, steadiness

das **Steuer,** – helm
  steuern steer, drive
der **Stich, -e** stab, puncture; **im – lassen**
  leave in the lurch
die **Stichprobe, -n** spot-check
  stieben, o (stiebte), o (gestiebt) fly
  about, disperse, scatter; drizzle
der **Stieglitz, -e** goldfinch
die **Stille** silence, stillness
die **Stimme, -n** voice
  stimmen check, be correct; pitch
die **Stimmung, -en** mood, atmosphere
die **Stirn, -en** brow, forehead
  stocken falter, hesitate
die **Stockung, -en** standstill, jam, cessation
der **Stoff, -e** material, subject matter
  stöhnen moan, groan
  stolpern, (ist) stumble, trip
der **Stolz** pride
  stopfen stuff, cram
der **Store, -s** curtain
der **Stoß, ̈e** push, jolt
  stoßen, ie, o, ö butt, ram, bump;
  push, shove
  stoßweis (e) jerky
  straff taut, tight
  sträflich unpardonable, punishable
der **Strahl, -en** jet
das **Strählchen,** – little jet, beam
  strahlend beaming, radiant
die **Strähne, -n** lock, strand of hair
der **Strand, -e** seashore
die **Straßenbahn, -en** streetcar
der **Straßenrand, -ränder** edge of road
  streben strive
  streicheln stroke, pat
  streichen, strich, (ist) gestrichen
  rush; roll in
  streifen, (ist) patrol, reconnoiter;
  stripe
der **Streifen,** – strip, band, line
  streng strict
der **Strick, -e** rope
der **Strohhalm, -e** straw
der **Strom, ̈e** stream, current
  strömen, (ist) flow, gush, stream
die **Stube, -n** room
das **Stück, -e** bit, piece
die **Stufe, -n** step
  stumm mute, dumb; silent
der **Stummel,** – stump, stub

  stumpf blunt, dull
das **Stundenzeichen,** – *indication of end*
  (or beginning) of period hour
  stur obdurate, tough, stubborn
der **Sturm, ̈e** storm
  stürzen, (ist) tumble down, plunge,
  sink
die **Sucht** craze, passion
  südlich south, southern
die **Summe, -n** sum, total
  summen buzz
das **Summen** buzzing
  surren buzz, hum
  süß sweet

  tadellos faultless, perfect
die **Tafel, -n** sign, marker
  täglich daily
das **Talglicht, -er** tallow candle
  tanzen dance
  tänzerisch dancing, tripping
die **Tapete, -n** wallpaper; tapestry
  täppisch awkward, clumsy
  tarnen camouflage
das **Tarnnetz, -e** camouflage net
die **Tasche, -n** bag; pocket
die **Taschenapotheke, -n** first aid kit
die **Tasse, -n** cup
  tasten grope (for)
die **Tat, -en** deed, act
der **Täter,** – culprit, perpetrator
die **Tätigkeit, -en** activity
  tatsächlich factual, actual
  täuschen deceive
  tausendfach thousand-fold
der **Tausendkünstler,** – conjurer, jack of
  all trades
  taxieren estimate, appraise
  technisch technical
die **Teerose, -n** tea-rose
der **Teil, -e** part, portion
  teilen share; divide
  teil-nehmen, nahm teil, teilge-
  nommen, nimmt teil participate
  teils partly, in part
das **Temperament, -e** temperament,
  character
die **Terrine, -n** soup bowl, tureen
der **Test, -s** (psychological) test
der **Teufel,** – devil
die **Theke, -n** counter, bar

der **Thüringer, –** Thuringian
ticken tick
die **Tiefe, -n** gorge, abyss, depth
das **Tier, -e** creature, animal
die **Tierflut, -en** torrent, inundation of animals
tierisch animal
der **Tierleib, -er** animal body
der **Tierstrom, ⸚e** stream of animals
der **Tiroler, –** Tyrolean
toben rage, roar
der **Tod, -e** death
die **Todesangst** mortal terror
die **Todesnot** mortal peril, peril of death
der **Ton, ⸚e** sound, tone
der **Tonfall, -fälle** inflexion, cadence
die **Tonkamera, -s** sound camera
die **Tonleiter, -n** scale, gamut
die **Tonnenbrust, -brüste** barrel chest
der **Topf, ⸚e** pot
tot dead
töten kill
totenblaß deathly pale
der **Träger, -** bearer, supporter, post
das **Trägheitsmoment, -e** force, moment of inertia
tragisch tragic
die **Träne, -n** tear, teardrop
tränenlos tearless
die **Tränke, -n** watering place, water hole
die **Traube, -n** grape
trauen trust, have confidence in; **sich –** venture, be so bold
der **Traum, ⸚e** dream
träumen dream
traurig sad
die **Traurigkeit** melancholy, sadness, lugubriousness
treffen, traf, getroffen, trifft meet; hit
das **Treiben** doings, activity
treiben, ie, ie drive
trennen separate
die **Treppe, -n** staircase, stairs
das **Treppenhaus, ⸚er** stairwell
treten, a, (ist) e, tritt step
triefen, troff, getroffen (triefte, getrieft) drip, trickle
trist sad
der **Tritt, -e** step, pace, tread

der **Triumpf, -e** triumph, victory
triumphierend triumphant
trocken dry
die **Trockenmilch** dried, powdered milk
der **Trommelwirbel, –** flourish, roll of drums
der **Trompeter, –** trumpeter
trotzen (*dat.*) defy
die **Trümmer** (*pl.*) ruins, fragments, debris
trunken drunk, intoxicated
der **Trupp, -s** group, flock; detail
die **Truppe, -n** unit
das **Tuch, ⸚er** napkin, piece of cloth
tückisch spiteful, insidious, malicious
türmen pile up, tower up, rise high
die **Turmluk, (-s)** turret hatch
turnen do gymnastics
der **Turnlehrer, –** physical-training instructor
der **Turnsaal, Turnsäle** gym
die **Turnstunde, -n** physical-training period

üben practice
überall everywhere
sich **überanstrengen** over-exert
überdies besides, moreover
überein-stimmen agree
der **Überfluß** superabundance, superfluity, profusion
übergeben, a, e, i turn over (to), commit
sich **übergeben, a, e, i** vomit
übergießen, übergoß, übergossen bathe, pour over, transfuse
übergroß enormous, colossal
überhaupt at all; generally
überholen overtake
überhören ignore, disregard
(sich) **überlegen** consider, ponder
die **Überlegung, -en** consideration, deliberation
übermütig playful; arrogant
der **Überrest, -e** rest, remains, residue
überrollen roll, pass over
überschätzen overestimate
überschauen view, look over
überschlagen, u, a, ä crack *or* break (of the voice)
(sich) **überschlagend** somersaulting, looping the loop

überschreiten, überschritt, über-schritten pass over, across; exceed, overstep

überschütten cover, engulf, overwhelm

übersehen, a, e, ie survey, scan; fail to see, disregard

übersprühen sparkle, flash

übertragen, u, a, ä assign, entrust with

übertreiben, ie, ie exaggerate

überwinden, a, u conquer, overcome

überzeugen convince

üblich customary, usual

übrig remaining, left, spare; **im -en** for the rest

übrigens incidentally, by the way; in addition

die **Übung, -en** practice, exercise

das **Übungsgelände** exercise terrain

umarmen embrace

sich **um-blicken** look around, about

um-drehen turn around

umfassen include, contain, comprise

umgeben, a, e, i surround

umgehängt hung (on, over, around)

um-gehen, ging um, (ist) umge-gangen be occupied with; manage

umgehend immediate

umgekehrt reversed

um-hängen hang on, around

umher-rasen, (ist) roar, rush about in a rage

sich **um-hören** inquire about

um-kehren, (ist) turn around

um-kippen, (ist) overturn, tip over

um-kommen, kam um, (ist) umge-kommen die, fall (in battle)

umschlafen, ie, a, ä sleep on, around

der **Umschlag, Umschläge** envelope

um-schlagen, u, (ist) a, ä change suddenly

sich **um-sehen, a, e, ie** look around

um-sinken, a, (ist) u sink down, drop to the ground

umsonst in vain; without cost, free

um-springen, a, (ist) u deal with, take care of

der **Umstand, Umstände** formality; circumstance, case

umständlich fussy; intricate, laborious

um-stellen rearrange, put in a different place; invert

um-stürzen, (ist) turn, fall over

der **Umweg, -e** roundabout way

sich **um-wenden, wandte um, umge-wandt, (wendete, gewendet)** turn around

umwickeln wrap around

umwogend billowing around, encircling

unabhängig independent

die **Unannehmlichkeit, -en** unpleasantness, disagreeableness

unaufgefordert unasked, voluntary

unauslöschlich indelible, inextinguishable

unausstehlich intolerable, insufferable

unbeantwortet unanswered

unbedeutend insignificant, trivial

unbefangen uninhibited

unbegrenzt unlimited

unbegründet groundless, unfounded

unbeholfen clumsy, awkward

unbeobachtet unobserved

unbequem uncomfortable, inconvenient

unberechenbar incalculable

unbeschreiblich indescribable

unbestimmt indefinite

unbeteiligt uninterested, indifferent

unbeweglich immovable, motionless

unbewußt unconscious, unaware

undeutbar vague, unintelligible

uneinheitlich varied, nonuniform

unendlich infinite

unerahnt unsuspected

unerhört unheard (of); horrible

unerlaubt unauthorized, forbidden

unermeßlich immeasurable, boundless

unerreichbar inaccessible, unattainable

unerschrocken unafraid

unförmig unwieldy, clumsy

die **Unfreundlichkeit, -en** unfriendliness, unkindness

die **Ungeduld** impatience

ungeduldig impatient

ungefähr about, approximately

das **Ungehaltensein** anger, indignation

ungeheuer monstrous, atrocious, frightful
ungeheuerlich monstrous, shocking
ungehorsam insubordinate, disobedient
ungepflegt untended, dilapidated
ungeschlacht ungainly, uncouth
ungestreift uninvolved, untouched
ungetarnt not camouflaged
ungewöhnlich unusual
ungläubig unbelieving, incredulous
unglaublich incredible, unbelievable; staggering
unglaubwürdig incredible
ungleich unequal, dissimilar
das Unglück, -e misfortune, unhappiness
unglücklich unhappy, unlucky, unrequited, unfortunate
unglücklicherweise unfortunately
das Unheil disaster, calamity
unheimlich uncanny, weird
unhörbar inaudible
der Uniformrock, -röcke uniform jacket, coat
unkenntlich unrecognizable
unmaßgeblich inconsequential, indecisive, inconclusive
der Unmensch, -en, -en wretch; brute, monster
unmöglich impossible
die Unmöglichkeit, -en impossibility
unnötig unnecessary
unprüfbar unverifiable
unruhig restless, uneasy
unsagbar unspeakable; immensely
unschädlich harmless, innocuous
unschuldig innocent
unsereins people like us
unsicher uncertain
die Unsicherheit, -en uncertainty
unsinnig absurd, crazy, foolish
das Untätigseinmüssen forced immobility, inaction
unterbrechen, a, o, i interrupt
das Unterfangen, – venture, undertaking
der Untergang, ⁚e ruin, destruction, failure
untergebracht quartered, billeted
unterhalb (gen.) below
unterhaltsam entertaining, amusing
der Unterleutnant, -s or e sublieutenant

unternehmen, unternahm, unternommen, unternimmt undertake
der Unteroffizier, -e non-commissioned officer
untersagen prohibit, forbid
unterscheiden, ie, ie differentiate, distinguish, discern
die Unterschrift, -en signature
unterstützen support, back up
untersuchen investigate
die Untersuchung, -en investigation
unterzeichnen sign
unterziehen, unterzog, unterzogen submit, undergo
unüberholbar impossible to overtake, impassable
unüberwindbar invincible, insurmountable
unveränderbar unalterable, unchangeable, constant
unverändert unchanged, immobile
unverhofft unexpected; unhoped (for)
unverhohlen unconcealed, candid
unvermittelt sudden, unexpected
unvermutet unexpected
unverständlich unintelligible, incomprehensible
unverwandt fixed; unflinching
unverwechselbar inconvertible
die Unwahrheit, -en untruth
unwahrscheinlich improbable
unwillig unwilling, resentful
unwillkürlich involuntary
die Unwirklichkeit, -en unreality
unwirsch surly, brusque
unzart ungracious, rude
unzulänglich inadequate, insufficient
der Urheber, – originator, creator, author
der Urmund, -e or ⁚er primitive mouth
die Ursache, -n cause, reason
der Ursprung, Ursprünge origin
das Urteil, -e judgment

das Veilchen, – violet
verachten scorn
verändern change
verängstigt cowed, intimidated
veranlassen cause, bring about, motivate
veranstalten arrange, organize
die Veranstaltung, -en arrangement

verantworten justify, defend, vindicate, account for

verantwortlich responsible

verärgern annoy, exasperate

sich **verbeißen, verbiß, verbissen** stifle, suppress; **er verbiß sich eine Erwiderung** he suppressed a reply

verbergen, a, o, i hide, conceal

verbinden, a, u connect, join

verblassen, verblaßte, (ist) verblaßt fade

sich **verbluten** bleed to death

verboten forbidden

verbrennen, verbrannte, verbrannt scorch, burn, singe

verbringen, verbrachte, verbracht spend, pass (time)

der **Verdacht** suspicion, distrust

verdammen curse, damn

verdienen earn, deserve

die **Verehrung** respect, devotion, veneration

vereidigen put on oath, swear in

(sich) **vereinigen** join, unite

das **Verfahren, –** procedure, method, conduct

die **Verfassung, -en** composition, constitution

verfehlen miss

verflogen flown away, gone

verflucht cursed

verfolgen pursue, follow, trail; persecute

der **Verfolger, –** pursuer

verführen lead astray

vergangen past; **am vergangenen Abend** the previous evening

vergebens in vain, to no avail

vergeblich in vain

die **Vergebung** pardon

vergehen, verging, (ist) vergangen elapse, pass, slip by

vergießen, vergoß, vergossen shed, pour out

verglasen glaze

vergleichbar comparable

das **Vergnügen, –** pleasure, enjoyment

vergrößern enlarge, increase

die **Vergütung, -en** compensation, reimbursement

verhandeln negotiate, deliberate

das **Verhängnis** fate, destiny

verhängen curtain, cover

der **Verkehrsverein, -e** tourist association

verkennen, verkannte, verkannt fail to recognize, mistake, misjudge

verknüpfen bind, tie, join

verknipsen snap (film shot)

vor-kommen, kam vor, (ist) vorgekommen appear, seem; occur

verdammen curse, damn

verkümmert stunted, vestigial

verkünden announce, make known, proclaim

verladen, u, a, ä load

verlandet silted, filled with alluvium

verlangen demand, ask for; request

(sich) **verlangsamen** slacken, slow down

verlassen, verließ, verlassen, verläßt leave

die **Verlassenheit** abandonment; solitude

verlaufen, verlief, (ist) verlaufen, verläuft run; **sich –** go astray, get lost

verlegen embarrassed, self-conscious; confused

verletzen offend, hurt, wound

das **Verlieben** falling in love

die **Verliebtheit, -en** being in love, amorousness

die **Verliebttuerei, -en** affectionate joking, love games

verlöschen, verlosch, (ist) verloschen, verlischt be extinguished, go out

vermeiden, ie, ie avoid

sich **vermessen, vermaß, vermessen, vermißt** presume, dare

vermischen mix, intermingle

vermissen miss, notice absence of

vermögen, vermochte, vermocht, vermag can

vermuten surmise, imagine

vernarrt infatuated, crazy about

vernehmen, vernahm, vernommen, vernimmt hear

verprügeln beat, thrash soundly

verrichten execute, do; accomplish

verriegeln lock, bolt

verringern diminish; reduce, lessen

verrückt insane, crazed, crazy

sich **versagen** forgo, deprive oneself of

der **Versager,** – failure, misfire, breakdown

versammeln assemble, collect, gather

sich **verschaffen** get, acquire; supply oneself with

verschanzen entrench, fortify

verscheiden, verschied, (ist) verschieden expire, pass away

verschieden different, various

verschiedenartig varied, various

verschließen, verschloß, verschlossen, verschließt lock; **sich** – reject, refuse, keep oneself away (from)

verschlingen, a, u swallow up, engulf

verschmelzen, o, o, i fuse, merge

verschränkt folded, locked

verschwinden, a, (ist) u disappear

verschwommen hazy, blurred

sich **versehen, a, e, ie** equip oneself

versetzen reply; place

versiegeln seal (up)

verspätet delayed, late

verspielt spoiled

versprechen, a, o, i promise

verspüren feel, notice, become aware of

verständlich understandable

verstärken reinforce, augment, intensify

sich **verstehen, verstrand, verstanden (auf)** be expert in, know how

verstimmt annoyed, cross

verstopfen choke, block, obstruct

verstreuen scatter, disperse

verstricken entangle, ensnare, involve

der **Versuch, -e** attempt, experiment

versuchen try, attempt

verteilen assign, distribute

vertragen, u, a, ä stand, bear, suffer

vertrauen rely (upon), trust (in)

vertrauenerweckend trustworthy

vertreten, a, e, vertritt represent, replace

verwachsen crooked, deformed

verwahren secure, put away safely

verwandeln change

verwandt related, similar to

verwarnen warn, admonish, caution

verwechseln confuse, mix up

verweilen tarry, linger

verwirrt confused

die **Verwirrung, -en** confusion

verworren confused, muddled

verwundbar vulnerable

verwunden wound

verwundern astonish, surprise

verzaubert charmed, enchanted

verzehren consume, eat up

die **Verzeihung, -en** pardon

verzerrt distorted, twisted

verzichten forgo, waive, relinquish

verziehen, verzog, verzogen distort, twist; **sich** – withdraw

die **Verzweiflung** desperation, despair

vielmehr rather

die **Viertelstunde, -n** quarter of an hour

die **Vierzehn** number 14 (route) streetcar

das **Visier, -e** visor

die **Vivisektion, -en** vivisection

die **Vogelschar, -en** flock of birds

der **Vogelzug, -züge** flight of migratory birds

der **Volant, -s** steering wheel

das **Volk, ¨er** people

die **Vollaktivität, -en** full, top activity

völlig complete

vollkommen complete, perfect

voll-stopfen stuff full

vollziehen, vollzog, vollzogen complete; **sich** – take place, come to pass

voraus-rennen, rannte voraus, (ist) vorausgerannt run ahead

vorbei past

vorbei-poltern, (ist) thunder, rumble past

vorbei-stampfen, (ist) pound, crush past

vorbereiten prepare

die **Vorbereitung, -en** preparation

vor-bringen, brachte vor, vorgebracht state, advance

das **Vordach, ¨er** projecting roof, overhanging eaves

das **Vorderbein, -e** foreleg

der **Vordereingang, -eingänge** front entrance

vor-exerzieren demonstrate as a drill, exercise

vor-fahren, u, (ist) a, ä drive, pull up

der **Vorfall, Vorfälle** event, occurrence

sich **vor-finden, a, u** be found

der **Vorgang, Vorgänge** incident, event

das **Vorgebirge, –** promontory, headland
vor-gehen, ging vor, (ist) vorge-gangen happen
vorgelagert situated, placed in front of
vorgeneigt bent forward
vor-haben plan, intend
vorhanden present
das **Vorhandensein** presence
vorher previously
vorhin a short time ago, heretofore
vor-kommen, kam vor, (ist) vorge-kommen happen
das **Vorkommnis, -ses, -se** event, occur-rence
vor-lesen, a, e, ie read aloud
vorn(e) forward, in front
vornehm smart, distinguished, aristo-cratic
vornehmlich principally, mainly
vornüber bent, leaning forward
vornübergesunken bent over, for-ward
der **Vorplatz, -plätze** entryway, entry platform, porch
die **Vorpostenkette, -n** outpost, picket line
vor-schieben, o, o shove forward, advance
vor-schlagen, u, a, ä suggest, propose
vor-schreiben, ie, ie prescribe, dic-tate, order
die **Vorsicht** caution, foresight
vorsichtig cautious, careful
die **Vorsorge, -n** care, provision, attention
vorsorglich as a precaution; careful
der **Vorsprung** advantage, lead
verstärken strengthen; increase
vor-stehen, stand vor, vorgestanden protrude, project
vor-stellen introduce; **sich –** imagine
die **Vorstellung, -en** concept, idea, notion
der **Vorteil, -e** advantage
vor-treten, a, (ist) e, tritt appear, be prominent; walk upon in advance
vorüber past
vorüber-kommen, kam vorüber, (ist) vorübergekommen come past, by
vorwärts forward
vorwurfsvoll reproachful

vor-ziehen, zog vor, vorgezogen prefer

wach astir, awake; brisk
die **Wacholdergruppe, -n** cluster of juniper
wachsen, u, (ist) a, ä grow
das **Wachstum** growing, growth
die **Wachtabteilung, -en** guard battalion, detachment
die **Waffe, -n** weapon
der **Wagen, –** car
wagen risk, dare
waghalsig reckless, daring, rash
die **Wahl, -en** choice
wahllos indiscriminate
wahnsinnig frantic, mad, insane
währenddem meanwhile
wahrhaft true
wahrhaftig truly
die **Wahrheit, -en** truth
wahr-nehmen, nahm wahr, wahrge-nommen, nimmt wahr notice, observe, perceive
der **Wahrsager, –** soothsayer, prophet
wahrscheinlich probable
wandern, (ist) wander, move
die **Wanduhr, -en** wall clock
die **Wange, -n** cheek
der **Warmblütler, –** warm-blooded crea-ture
die **Wärme** warmth
warnen warn
die **Warnung, -en** warning
warten wait
was = etwas
die **Wasserfahne, -n** ribbon, flag, band of water
das **Wasserstrählchen, –** fine jet of water
der **Wasserweg, -e** waterway; **auf dem –** by water
waten wade
wechseln change, exchange
weder ... noch neither . . . nor
weg away
weggezischt whizzed away
weg-tauchen, (ist) dive down, away
der **Wegweiser, –** signpost, path marker
wegwerfend disparaging, disdainful
wehe woe, alas; **Hast du dir weh getan?** Did you hurt yourself?

wehen flutter, wave, blow
wehmütig melancholy
die **Wehr** defense; **sich zur – setzen** defend
sich **wehren** resist, defend oneself
weich soft, smooth, gentle, mild
die **Weichheit, -en** softness, tenderness
der **Weihwasserwedel, –** aspergillum
die **Weile** while, short time
der **Wein, -e** wine
weis(e) wise
die **Weise, -n** manner, way, style
weisen, ie ie point, indicate
weißbebändert white-ribboned
die **Weisung, -en** instruction, order, direction
der **Weitergang, ⁀e** continuance
weiter-hasten hurry along
weitgegrätscht wide-straddled
weither from afar
weithin far, far off, in the distance
die **Welle, -n** wave
der **Wellenschlag** breaking of the waves
der **Weltkrieg, -e** world war
der **Weltraum** cosmos, space, universe
der **Weltraumflieger, –** astronaut, space voyager
(sich) **wenden, wandte, gewandt (wendete, gewendet)** turn
die **Wendung, -en** turn, winding
wenigstens at least
werfen, a, o, i throw, cast
die **Werkstätte, -n** workshop
werten evaluate, assess
wertvoll valuable
das **Wesen, –** creature, being
weshalb why
wettern storm, bluster; swear, curse
der **Wettstreit, -e** competition, contest
die **Whiskyflasche, -n** whiskey bottle
wichtig important
wider-spiegeln reflect
der **Widerstand, ⁀e** opposition, resistance
der **Widder, –** ram
widernünftig unreasonable, illogical
sich **widersetzen** oppose
der **Widersinn** absurdity, nonsense; contradiction
widersprechen, a, o, i oppose, contradict
widmen dedicate

die **Wiederaufnahme** resumption
wiederholen repeat
wieder-kehren, (ist) return
wiegen, rock, cradle
der **Wiener** Viennese
wiewohl although
das **Wild** game, game animal(s)
willig willing
willkommen welcome
wimmeln swarm, teem, be crowded
windbewegt moved, blown by the wind
winken wave
winzig tiny
der **Wirbel, –** swirl, whirlpool, vortex
wirken act, appear, have an effect on
wirklich true, real
die **Wirklichkeit, -en** reality
die **Wirkung, -en** effect
wirr disorderly, disheveled
der **Wirt, -e** proprietor
wischen wipe
die **Wissenschaft, -en** science
wissenschaftlich scientific
wittern scent, get the wind of
der **Witz, -e** joke; wit; spirit
die **Witzelei, -en** joshing, kidding
die **Woche, -n** week; **meine Katze kommt in die Wochen** my cat's going to have kittens
die **Woge, -n** wave, billow
wohl probably; I suppose
das **Wohl** welfare, well-being
wohlassortiert well-assorted
das **Wohlbefinden** well-being, good health
wohltuend beneficial, pleasant, comforting
die **Wohnung, -en** apartment, residence
der **Wolf, ⁀e** wolf
die **Wolke, -n** cloud
der **Wollrücken, –** wooly back
der **Wollschal, -e** woolen shawl
wozu why, for what purpose
wringend wringing, twisting
wulstig puffed up, protruding
die **Wunde, -n** wound
das **Wunder, –** marvel
wunderbar amazing, wonderful
wundern astonish, surprise; **es wunderte ihn** he was surprised

der **Wunsch, ⁓e** request, wish
wünschen wish
die **Würde** dignity, majesty
würdigen deem worthy, value
die **Wurst, ⁓e** sausage
die **Wut** rage, fury
wütend furious

zäh tough, tenacious
die **Zähigkeit** toughness, tenacity
die **Zahl, -en** number, digit, figure
zahlen pay
zahlreich numerous
zahm tame
der **Zahn, ⁓e** tooth
der **Zahnarzt, -ärzte** dentist
die **Zange, -n** pliers, tongs, **in die –
nehmen** execute a pincers movement
die **Zangenbewegung, -en** pincers movement
zart tender
zärtlich affectionate, tender
der **Zauberer, –** magician
zehren consume; prey upon, waste
das **Zeichen, –** sign, indication
zeigen show, point
der **Zeiger, –** hand (clock)
zeitig early
die **Zeitlang** while
der **Zeitlupenaufnahme, -n** slow-motion shot
die **Zeitrechnung, -en** time estimate; chronology
die **Zeitspanne, -n** period of time
die **Zeitvergeudung** waste of time
der **Zementplatz, ⁓e** cemented area
der **Zentaur, -en, -en** centaur
zerblättern, (ist) peel off, shred, flake to pieces
zerfasern break up, disintegrate
sich **zerfleischen** lacerate, tear oneself to pieces
zerreißen, zerriß, zerrissen tear up; disperse; go to pieces
sich **zerstreuen** disperse, scatter
der **Zettel, –** slip of paper
das **Zeug, -e** stuff, material
der **Zeuge, -n, -n** witness
das **Zeugnis, -ses, -se** certificate, proof, evidence, testimony

die **Ziege, -n** goat
das **Ziegenauge, -n** goat eye
das **Ziel, -e** goal, objective, destination
zielbewußt resolute, methodical
ziemlich rather considerable, fair, pretty
die **Zierde, -n** decoration, ornament
das **Zigarettenwölkchen, –** puff of cigarette smoke
die **Zigarrenschachtel, -n** cigar box
der **Zipfel, –** end, tip
zirpen chirp, cheep
zischen fizz, hiss, squirt
die **Zitrone, -n** lemon
zittern tremble
zögern hesitate
der **Zögling, -e** pupil
der **Zorn** anger
zornig angry
zottig shaggy
zu-bereiten prepare, get ready
zucken quiver, palpitate
zuckerig sugary
zudem besides, moreover
zuerst first, at first
zufällig by chance
sich **zu-fressen, fraß zu, zugefressen, frißt zu** devour
zufrieden content, satisfied
der **Zug, ⁓e** procession; platoon
der **Zugang, Zugänge** entry, access, entrance
zu-geben, a, e, i admit
zugetan devoted, attached to
der **Zugführer, –** squad, section leader
zugleich at the same time
zu-hören listen (to)
der **Zuhörende, -n, -n** listener
der **Zuhörer, –** listener, auditor
zu-kehren turn toward
zu-lassen, ließ zu, zugelassen, läßt zu permit, allow
zuliebe, mir – to please me, for my sake
zumal particularly, especially
zumindest at least
zu-muten expect of
zunächst above all, in the first place; nearest
die **Zunge, -n** tongue
zu-nicken nod (to, toward)

zupfen tug, pull
zurück-eilen, (ist) hurry back
zurück-fluten, (ist) flood, stream back
zurück-kehren, (ist) return
zurück-legen walk, cover (distance)
zurück-stoßen, stieß zurück, zurückgestoßen, stößt zurück repulse, push back
zurück-weichen, i, (ist) i give way, recede, retreat
zu-rufen, ie, u call to
zusammen-brechen, a, (ist) o, i collapse, break
zusammen-fassen include, combine, comprise
zusammengekauert hunched up
sich **zusammen-nehmen, nahm zusammen, zusammengenommen, nimmt zusammen** compose, control oneself
zusammen-pfeifen, pfiff zusammen, zusammengepfiffen whistle, call together, assemble
zusammen-raffen collect hurriedly, throw together
zusammen-schrumpfen, (ist) shrink, contract, shrivel up
sich **zusammen-setzen** consist of, be composed of
zusammen-wachsen, u, (ist) a, ä grow together, coalesce
zusammen-wirken cooperate, make a united effort
zu-schauen look, watch
zu-schreiben, ie, ie attribute, ascribe; blame
zu-sehen, a, e, ie look at
der **Zustand, -stände** condition

der **Zusteigende, -n, -n** additional, next passenger boarding
zu-stimmen approve, assent
die **Zustimmung** assent, agreement, approval
zu-stürzen, (ist) rush upon, towards
zuteil, was ihm jemals – geworden war which had ever fallen to his lot
zu-trauen credit with, ascribe to
zutraulich tame, trusting
zu-treiben, ie, ie drive towards
zu-treten, a, (ist) e, tritt (auf) walk towards, up to
zuvor previously, before
zuweilen now and then, occasionally
zu-wenden, wandte zu, zugewandt (wendete, gewendet) turn toward
zu-werfen, a, o, i throw (to, toward)
zwar to be sure
der **Zweck, -e** purpose, aim, object
zwecklos purposeless
zweckmäßigerweise expediently, appropriately
der **Zweifel, –** doubt
zweifelhaft doubtful
zweifeln doubt
der **Zweisitzer, –** two-seater (car)
der **Zwillich, -e** drill (material)
die **Zwillichbluse, -n** drill (heavy cloth) blouse
zwingen, a, u force, compel
das **Zwinkerauge, -n** reflector, blinker
zwinkern blink, wink
zwischendurch at intervals, in between times
der **Zwischenfall, ⁓e** incident
die **Zwischenfrage, -n** interpolated question